デジタル統合で製造業は生まれ変わる

Rebirth of industry through digital integration

日本メーカー超進化論

ものづくり太郎

Theory for the Super-Evolution of Japanese Manufacturers

KADOKAWA

はじめに

「このままでは日本の製造業は壊滅しかねません」

YouTubeの「ものづくり太郎《たろう》チャンネル」でこうしたニュアンスの警鐘を最初に鳴らしたのは2020年の7月でした。それから4年近く経ちますが、日本の製造業が抱える構造的問題は、より深刻なものになってきました。そのため私、ものづくり太郎はさまざまな角度から現状を分析して、発信を続けています。

この本を手に取っていただいた方の中には、私のことをある程度はご存じの方もいらっしゃるかもしれません。ひと言でいうなら製造業系ユーチューバーです。いまでは、チャンネル登録者数は26万人を超えました。

動画の中ではいつもサングラスをしていますが、あくまでキャラづくりのためです。普段の姿は少し違います。SEMICON Japan（半導体製造関連技術の総合展示会）のアンバサダーを務めており、多くの企業や団体とのつながりもあります。日本の大手電機メーカーでいえば7社と交流しています。海外でも台湾《たいわん》政府やドイツやフランスの企業などから声をかけていただき、視察や講演をする機会が増えてきました。

製造業に対する想いには深いものがあります。

大学時代、フランスに留学していた時期があり、現地の人たちに日本の印象を聞くと、トヨタ、パナソニックといったメーカー名が挙げられることが多かったことも、原点にある気がします。日本の製造業がいかにすごいかを認識した私は、大学を卒業すると、製造業界に足を踏み入れました。主に営業職を務め、転職も経験しながら製造業の魅力にいっそう取り憑《つ》かれていったのです。

巨大な機械や精密な機械によって、多様な部品や製品を造り出していくのが製造業です。その部品や製品が世界を変えることもあるのですからワクワクします。

しかし日本では、製造業が持っているワクワク感がお茶の間に届いていません。製造業に関する情報は少なく、一般の人たちにはなかなか興味を持ってもらえません。そうした状況に気づいたことから、自分で正しい情報を提供していこうと考えて、YouTubeを始める決心をしました。それが2019年のことでした。

最初のうちは産業用ロボットや半導体などについて専門的な解説を行い、製造業について正しく理解してもらうことに努めていました。しかし、2年目からは少しずつ色合いが変わってきました。他の評論家はまず口にしないような問題点などについても包み隠さず話すようになったのです。

どうしてかといえば、日本の製造業には、ただごとではない危機が迫っていたからです。その危機がどういうものなのかをあらためて総括したいと考え、今回、この本を出すことを決めました。

製造業界の世界的な潮流を見渡しながら日本の立つ現在地や問題点をしっかりと解説していくため、YouTube的なキャラクターや軽口は封印しています。

最近は自動車業界の不正行為とリコールが大きなニュースになっていますが、この問題については扱っていません。不正の背景を探っていけば根が深いものがあるには違いなくても、あくまで企業内（グループ内）の問題だからです。今、製造業界は日本経済の浮沈を左右するほどの剣が峰に立たされています。多くの人たちにどちらを知ってもらいたいかといえば、当然ながら後者の全体論です。

今回、私がやりたかったのは、告発ではなく提案です。ただし、製造業に詳しくない人にも現状をよく理解してもらうために、分析と解説から入っています。遠回りするように話を進めた面もあるので、ここではまず、この本ではどういう道順で解説を進めているかの見取り図を記しておくことにします。それが次のものです。

【第1章　実は崖っぷちの日本の製造業】

①日本の製造業の現在地をまず確認します。かつては電子立国と呼ばれていた日本は、得意の電子産業で他国のメーカーとの競争に敗れてしまいました。それだけではなく、半導体やEV（電気自動車）の分野でも他国のメーカーに大きな遅れをとっています。

②半導体では、かつて世界市場で50％以上のシェアを占めていたのに近年は6％ほどにまでシェアを落としています。そういうなかで日本はこれからどのように戦っていくのか？「次世代半導体の国産化」に成功できるかどうかが注目されます。

【第2章　巨大化するタイ市場と中国EVメーカーの影】

①多くの日本企業が製造拠点を構えているタイについて解説しています。日本の企業が現状維持を考えているようになっていたなかで攻勢をかけてきた中国がいかに手ごわい存在であるかがわかるからです。とくにEV市場では日本メーカーの劣勢が顕著で

す。

②今後、タイという拠点を失うこともあり得るほどの危機が迫っています。そのことに対して日本企業は危機意識すら持っていないことも問題を大きくしています。

【第3章　なぜ日本の自動車メーカーは世界に取り残されたのか】

①EV市場がどのような性格を持っているかを整理します。トヨタなどが市場の導入期から積極的にEV開発を進めてこなかった理由も理解できますが、そのあいだに中国メーカーにはあまりに大きな差をつけられてしまっています。

②中国のEV工場には従来の概念を覆すような最新機械が導入されています。設備面でも日本のメーカーは後手に回っている状況です。

③EV開発のキモとなる電池産業でも日本のシェアは大きく後退しています。

【第4章　日本のものづくりはアナログ時代で止まっているのか？】

①EVからはいったん離れて（といっても無関係ではありません）、日本の製造業が抱えている重大な問題について解説します。設計データの扱いに関することですが、日本

の現場では信じがたいほど非効率的なやり方が続けられています。そのため、革新的な進歩を遂げている世界のあり方についていけなくなっているのです。

②近年は、中国のメーカーは驚くべき効率化につながる工作機械を開発・生産しています。どこまで効率化を進められるかは商品の価格にも反映されます。中国のＥＶは今後ますます性能を高めながら価格を下げていく可能性が高いと言えます。

【第5章　台湾 Foxconn 台頭の脅威】

①どうして日本の電子産業がここまで凋落《ちょうらく》してしまったのかを見直します。台湾のFoxconn（フォックスコン／鴻海《ホンハイ》精密工業）の台頭が大きかったのですが、そこで鍵《かぎ》を握ったのも「データの扱い」と「効率化」でした。圧倒的なスピードの違いに屈したのです。

②補足的に、製造業において工作機械が持つ意味の解説を挟んでいます。

③「ものづくり」戦略だけではなく「ビジネスモデル」の部分でも日本は海外メーカーの戦略に敗れたと言えます。パソコン市場における Dell の受注生産方式です。

【第6章　インダストリー4・0と日本の製造現場】

①第4章、第5章に関して、もう少し専門的に解説を進めています。工場における機械制御の方法がヨーロッパでは驚くべき進化を遂げています。

②そうした進化の背景にあるのが、企業間の垣根をなくした「標準化」です。ヨーロッパでは競争領域と協調領域が明確に分けられています。

【第7章　標準化という日本のキーポイント】

①日本の製造業の現在過去未来をあらためて総括します。日本ではデータがどのように扱われてきたかについて、ドイツとも対比しています。

②日本でも画期的な取り組みが始まっていますが、それでもなお多くの問題点を抱えています。そうした状況を整理します。

【終章　日本メーカー超進化論】

①これから私が何をやろうとしているかをまとめました。

②日本の製造業がこれからどこに向かって進むべきかの道しるべになるものです。

この見取り図を読んでもらっただけでも、大まかな状況は理解いただけたのではないかと思います。日本の製造業が逆転を果たすためのキーワードは、「三次元データへの移行によるデジタル統合」と「標準化」です。この部分を踏まえたうえで、方向性を見誤らずに改革を進めていけたなら、日本の製造業はなお世界と戦っていけます。

近年はとんでもない機能を持つ工作機械が生まれてきています。以前には想像もできなかったことが次々に現実になっていくのが製造業の世界です。厳しい指摘はしていますが、その先にあるのは可能性にあふれた未来です。

そうしたことを示すための一冊としてまとめたつもりです。最後まで読んでいただければ幸甚です。

日本メーカー超進化論 デジタル統合で製造業は生まれ変わる 目次

第3章 なぜ日本の自動車メーカーは世界に取り残されたのか 061

第4章 日本のものづくりはアナログ時代で止まっているのか？ 089

第5章 台湾Foxconn台頭の脅威 115

第6章 インダストリー4.0と日本の製造現場

第7章　標準化という日本のキーポイント　167

終章　日本メーカー超進化論　207

装幀　菊池祐
構成　内池久貴
DTP　エヴリ・シンク

第1章

実は崖っぷちの日本の製造業

■日本は製造業を失うわけにはいかない

できるだけ多くの人に知っておいてもらいたい事実があります。

1つは、現在でも日本の経済を支えているのは製造業であるということ。もう1つは、その製造業が世界で戦っていく競争力を失いつつあるということです。日本経済のなかで製造業が担ってきた役割は、多くの人がイメージしているより大きいのではないかと思います。

経済活動別GDPの構成比を見れば、製造業が20・6％を占めています（2021年度内閣府・国民経済計算年次推計より）。

同じ統計でサービス業は30・9％となっていましたが、注釈が付いていました。「ここでいうサービス業とは、宿泊・飲食サービス業、専門・科学技術、業務支援サービス業、公務、教育、保健衛生・社会事業、その他のサービス業とする」というものです。どこまでをサービス業に含めるかは統計によって変わってくるので、サービス業が占める割合は20％前後とされることもあります。

いずれにしても、製造業とサービス業がＧＤＰに占める割合はそれだけ大きいということです。

貿易の内訳を見れば、製造業の役割の大きさは一目瞭然《りょうぜん》です。

輸出で最も大きな割合を占めているのは輸送用機器の23％で、一般機械の20％、電気機器の17％が続きます（２０１８年の貿易統計より）。

輸送用機器とは自動車や自動車部品のことで、一般機械には工作機械や半導体製造装置、ロボットなどが含まれます。

ここ数年、日本の貿易収支は赤字が続いており、エネルギー価格の高騰や円安などが要因に挙げられています。厳しい状況にあるわけですが、製造業が外貨を獲得しなければ、エネルギーの調達もできなくなります。

製造業という砦《とりで》を失えば、円は暴落して日本経済はもたなくなってしまいます。

その製造業の地位が今、危うくなっています。

総崩れになっているわけではなくても、かつてのアドバンテージを失っているのです。それも輸出で大きな割合を占めていた分野ばかりです。

携帯電話などの通信機器をはじめ、コンピュータやテレビなどを主とする電子機器の分野では、すでに台湾と中国、韓国に抜かれてしまっていることは多くの人が理解しているものと思います。

そのうえ、製造業の今後を左右する半導体やEV（電気自動車）の分野でも、他国のメーカーに大きな遅れをとっています。

日本は明確な勝ちパターンを創出できないように感じます。

日本の製造業が崖《がけ》っぷちに立っているのがおわかりいただけるのではないでしょうか。

日本経済は製造業に依存している部分が大きかったにもかかわらず、政府がこれまでまったくと言っていいほど製造業を支援してこなかったのも問題でした。

2023年度の補正予算では、半導体や生成AIの支援に約2兆円を充てることになりました。しかし、2020年以前の30年は半導体に、年間50億円か100億円程度の予算しか付けてこなかったのです。

この額がどれほど少ないものだったかは、他国と比べればわかりやすいはずです。

半導体分野で韓国は5年間で約35兆円の官民投資を目標にしています。

アメリカは助成基金が5年間で約5兆円で、他にR&D（研究開発）基金が5年間で約1・5兆円。半導体製造・装置の投資課税は4年間25％の税額免除という特例も設けています。

現在の日本の予算はようやく比較できるレベルにきたものの、それ以前については、予算を付けていないにも等しかったと言っていいでしょう。

日本は働き方改革ということで、時間外労働時間の上限が制定されることにもなりました。そのこと自体は正しい方向だとしても（むしろ遅すぎたくらいです）、韓国ではこの部分に対しても特例を設けています。1週間の残業時間の上限は52時間に制定されているにもかかわらず、半導体関連に限っては64時間まで引き上げられるのです。

韓国は半導体分野に新たに15万人以上の人材を育成するとも宣言しています。

お金だけでなく、人もそれだけつぎ込んでいくということです。半導体分野にはあらゆるリソースをベットしていくのが世界のスタンダードになっているのです。

日本の場合、こうした世界基準から逸脱していました。政府は製造業を守ろうという姿勢を見せず、官民のあいだに距離ができすぎていたのです。

かつて世界の半導体市場で日本は50％以上のシェアを占めていました。２０１９年段階では約10％まで落ちています。世界のトップに立っていたところから、これだけ極端に後退してしまっているのが現実です。

■日本のＥＶ開発は中国より５年遅れている

半導体だけでなく、電池分野でも日本は後退しています。

電池にはＥＶ用リチウムイオン電池が含まれます。そう聞けば、この後退がいかに大きなマイナスであるかが想像できるのではないかと思います。

日本はもともと車載用電池で大きなシェアを占めていました。

それにもかかわらず、ＥＶが主流になっていく時代になって一気にシェアを落としてしまったのです。

２０２３年になって経産省は「トヨタ自動車のＥＶ用リチウムイオン電池への投資に約１２００億円補助」、「ホンダとＧＳユアサが計画するリチウムイオン電池の量産に向けた投資に１５８７億円補助」することを発表しましたが、遅すぎたと言えます。ホンダとＧＳユアサ（ジーエス・ユアサコーポレーション）が新設する工場が電池の供給を始めるのは２０２７年以降の予定です。

ＥＶの開発と生産においてリチウムイオン電池が占める比重は非常に大きなものがあります。

電池の開発と量産の遅れは、ＥＶ市場進出の遅れにそのままつながります。

２０２３年には上海《シャンハイ》で国際モーターショーが開催されました。

モーターショーでは、ＥＶをはじめとした新エネルギー車が約５１３台、展示されていました。展示されていたのは、コンセプトカーではなく量産モデルばかりです。それだけでも驚かされる事実です。

日本の自動車メーカーはＥＶへの移行が遅れているため、アメリカでも「日本車離れ」が起きていると言われています。開発においても大きな差をつけられているのを見せつけられた格好でした。

現在でも日本車は世界で30％程度のシェアを占めています。

しかしながら、ＥＶに限れば約２％にまで落ちます。

非常に大きな落差です。

これからEVが仮に世界の主流になった場合、長期的に見れば、海外で日本車がほとんど見られなくなってもおかしくありません。

2027年から供給される電池を積んだEVが世に出てくるのは2028年以降になります。EVという分野において、中国などに対して〝5年遅れている〟と言わざるを得なくなっているのが実情です。

POINT

- □日本経済は製造業が支えてきたが、製造業の現在は非常に危うい
- □かつて世界シェアの50%以上を占めていた半導体のシェアは約10%まで落ちている
- □EV開発では中国などに対して5年遅れていると見られても仕方がない

■ラピダスが挑んでいる、失敗が許されない戦い

日本の製造業は、もはやどうにもならないところまできているのでしょうか？

冷静に判断するなら、今が瀬戸際と言えるはずです。

この先の希望がないわけではありません。致命的な遅れをとっている半導体分野でここから挽回《ばんかい》していけるかどうかも大きいと言えます。

鍵《かぎ》を握っている1つがラピダス（Rapidus）です。

ラピダスは、トヨタ自動車、デンソー、ソニーグループ、NTT、NEC、ソフトバンク、キオクシア、三菱UFJ銀行の8社が73億円を出資したほか、政府も約3000億円を支援している一大プロジェクトです。

2022年8月に設立されて、最先端半導体の量産を目指しています。

具体的には、「ロジック半導体」です。

半導体にも種類があります。

まず「パワー半導体」と呼ばれるものがあり、こちらは日本でも三菱電機や東芝が造っています。〝電力の制御や変換〟を担う半導体です。スマートフォンやパソコン、自動車、エアコンなど、さまざまなところで必要とされます。

ＥＶには、電池から出力される直流電力を交流に変えてモーターに供給するインバータが組み込まれ、パワー半導体はそこでも重要な役割を果たします。パワー半導体の性能が良ければエネルギーの変換効率が良くなります。

また、パソコンで一時的なデータの書き込みを行うなど〝記憶〟の役割を果たすのが「ＤＲＡＭ」や「ＮＡＮＤフラッシュメモリ」です。こちらもやはり日本で造られています。

日本でほぼ造られていないのがロジック半導体です。

ロジック半導体は、パソコンのＣＰＵなどに搭載されて演算処理を行うので〝電子機器の頭脳〟とも呼ばれます。

ChatGPTのようなＬＬＭ（Large Language Models＝大規模言語モデル）にも高性能のロジック半導体が必要とされます。

■8兆円の貿易赤字が出る可能性

ロジック半導体はこれからますます重要度が高まっていきます。

まずＡＩです。

日本の企業がＣＭにＡＩモデルを起用したことは記憶に新しいのではないでしょうか。生成ＡＩであるChatGPTにプログラミングのコード生成などを任せれば、人間がやるのとは比較にならない高スピードになります。

製造業界にもＡＩの波は来ています。

たとえばBeckhoff Automation（ベッコフオートメーション）というドイツの産業用制御機器メーカーが販売しているＩＰＣ（産業用パソコン）にはすでにChatGPTが実装されています。そのため、これまで人間が計算して手で入力していたプログラムをＡＩが自動でやってくれるようになりました。

速さ、確実性、利便性で格段の違いが生まれています。

ＡＷＳ（アマゾンウェブサービス）やMicrosoft Azure（マイクロソフト・アジュール）、Google Cloud（グーグル・クラウド）など、付加価値を持ったクラウドサービスでもロジック半導体が必要になります。

現在、クラウドは外資系がほぼ占有している状態なので、ＩＣＴ分野において、円の海外流出は加速しています。今の段階で年間約１・４兆円が流出しており、この状態が続けば、２０３０年には８兆円の貿易赤字が計上されるとも試算されています。

また、自動車業界においてＥＶと共に開発が進められているのが自動運転です。自動運転にもやはりＡＩとそのためのサーバーが必要になるので、ここでもロジック半導体は不可欠です。

ＡＩの登場によって計算力は驚異的な進歩を遂げています。

「計算力（演算力）は国力」だとも言われるようになりました。これからはますますその意味合いが強くなっていきます。

国内でロジック半導体を造り出せずにいることがいかに大きなハンディになるかが想像できるのではないでしょうか。

次世代産業の土台が毀損《きそん》されます。

日本は必ずロジック半導体を造れるようにしなければならないだけでなく、性能の部分でも世界と勝負できるようにする必要があります。

〝これから先、世界で戦っていくための武器を手にできるかどうか〟

ラピダスにかけられる期待は非常に大きいものがあります。

ラピダスは今、失敗が許されない戦いに挑んでいるのです。

半導体の世界シェアでは、台湾のＴＳＭＣ（Taiwan Semiconductor Manufacturing Company／台湾積体電路製造）が半導体受託生産（ファウンドリービジネス）として50％以上を占めています。

2位は韓国のSamsung（サムスン電子）で、3位は台湾のＵＭＣ（聯華電子）です。

順位はそうでもＴＳＭＣの一強に近いと言えます。

アメリカの企業などはＴＳＭＣに半導体の製作をすっかり依存しています。世界が台湾に頼りきっている状況です。

しかし、台湾の半導体がいつまでも世界に供給され続ける保証はありません。

台湾有事の可能性も含めて万が一の状況を考えたとしても、自分たちの手でロジック半導体を造れるようにしておく必要があるのです。

ラピダスの戦いは日本の行方を左右するといっても過言ではありません。

ラピダスが高性能のロジック半導体を造れるようになれば、その半導体が生み出すサービスによって、これまでの投資を回収して、この後も世界と戦っていける可能性が生まれます。

ロジック半導体が造れないままでいては、円の流出が止められないばかりでなく、次の時代の勝負についていけなくなってしまいます。

ラピダスを支援して高性能のロジック半導体を造り出し、世界的な競争力を手に入れるか、永遠にロジック半導体を海外から買い続けることになるか……。どちらになるかが問われている、きわどい状況なのです。

■半導体をめぐる戦いに勝算はあるのか？

半導体を造るのは〝製造業の総合格闘技〟に近い面があります。

半導体製造装置の性能が問われるのはもちろんとして、装置を造りあげるためには、さまざまな工作機械や治工具が必要となります。

治工具と言われてもピンとこない人が多いかと思います。製品の加工や組み立てにおいて欠かせない器具です。治工具の役割はさまざまなうえに規格もまちまちなので、用途に応じて専用の治工具が必要になります。

半導体やEVの話に比べれば、規模が小さな話と感じられるかもしれませんが、日本ではこれまでこのような器具や機械を精妙に造り出す基礎技術を培ってきました。

ロジック半導体のような新しい技術を生み出すためにもこうした基礎技術は求められます。必要に応じて機械や治工具を造り出せるのは日本の強みです。

技術力、総合力で負けているわけではないのです。

半導体そのものもシェアでは日本はずいぶん後退してしまったものの、「半導体製造装置」や「主要半導体素材」のシェアは今でも大きいものがあります。

半導体製造装置はアメリカに次ぐ世界2位で約30％、半導体製造に必要な電子材料は世界1位で50%近くを占めています。

半導体製造装置メーカーや材料・化学メーカーは世界と伍して戦えていることがわかります。

ロジック半導体を取り戻すための戦いは、背水の陣ではありながらも、勝算がない戦いではないということです。

もう一度確認しておけば、過去30年ほどの歩みを振り返っても、政府は製造業のために必要なだけのお金を使ってきませんでした。

ただし、経産省を非難するのは違う気がします。

そもそも経産省には予算がなさすぎたのです。2024年度予算は約8600億円でしたが、厚生労働省の予算が33兆円レベルであることを考えれば差が大きすぎます。

日本政府が〝未来への投資〟をおこたっていたのだと見るしかありません。

高齢化が進むなかで社会保障費や医療費がかさむのは仕方がない部分もあります。しかし、このままいけば、次世代に残せるものがなくなります。

製造業を守り、育てるための予算を組むようにしなければ、あとがないところまできています。

■製造業の危機とメディアの責任

製造業が力を失いかけていることに関しては、メディアにも責任の一端があるのではないかと考えられます。

テレビなどでは、製造業の現在を正確に伝える特集はほとんど組まれません。日本の景気が悪くなってきたときには、古くからやっている町工場の様子が映されて、厳しい経営状態に陥っているのが強調されるパターンが目立ちます。

最近の工場には近代的な空港と見まがうほど清潔で広い施設も増えているのに、そういう工場が紹介されることはほとんどありません。実態を知る人は少なく、昔ながらのイメージで見られているため、製造業には人材が集まりにくくなっているのです。

製造業が日本を支え続けてきたのに、製造業に対するリスペクトがまるで感じられません。

メディアの扱いのために、いまだに製造業＝3Kというイメージが払拭《ふっしょく》されずにいるのです。

2024年3月卒業予定の大学3年生男女を対象とした「就職したくない業種ランキング」では、自動車・重機械が5位になっていました。

観光業などに目を向けるのはいいとしても、製造業が競争力を失ってしまわないように立て直していかなければ、日本経済は成り立ちません。

昔も今も、日本を支えているのは製造業であるにもかかわらず、製造業はこれまでにない危機を迎えています。

この事実を私たち日本人はよく理解しておきたいところです。

だからこそ私は、苦言を呈すべきところには苦言を呈し、必要な情報を発信し続けているのです。

製造業の未来を、皆さんと一緒に本気で考えていくためです。

POINT

- □「計算力≒国力」と言っていい時代を迎えようとしている
- □〝電子機器の頭脳〟となるロジック半導体を国内で造り出せなければ、次世代産業の

土台が毀損される

□これまで製造業を軽んじてきたことが日本の危機を大きくしている

第２章

巨大化するタイ市場と中国EVメーカーの影

■タイで日本車が売れなくなっていく!?

日本企業はこれまで積極的に海外事業の拡大を続けてきました。ソ連が崩壊した1988年から2018年までの30年間で、拠点数(海外の現地法人数)は約7500社から約2万1000社に増え、現地法人の売上高は約68兆円から300兆円規模にまで伸びました。

とくに海外進出に積極的だったのが製造業です。上場企業のうち海外での生産をしている企業は65%ほどになります。中小企業でも18%です。90年代の円高もあり、製造業の生産拠点は海外に移行し、サプライチェーン(供給網)は確実にグローバル化しました。

トヨタを例にとれば、フィリピンではエンジンや等速ジョイント、トランスミッションを造り、マレーシアではECU(制御装置)やステアリング関係、タイではディーゼルエンジンや車体部品、インドネシアではクラッチやドアロック関係を造っています。

アジアの国々が挙がるなかでもとくに注目したいのはタイです。

トヨタに限ったことではなく、タイは日本のメーカー、とくに自動車メーカーにとって非常に重要な製造拠点になっているからです。

仮の話として、もしトヨタがタイの拠点を失ってしまえば、必要なパーツが造れなくなり生産体制が弱体化します。

複数ある海外拠点の1つに過ぎないといった楽観的な見方はできない国です。

タイの主要産業は農業ながら、製造業にも国民の約15％が従事しており、GDPの約30％を製造業が占めています。

タイとのつながりがとくに深いのが日本、中国、アメリカです。

外務省のデータを見れば、タイの主要貿易相手としてこれら3つの国が挙がります。2022年段階で輸出1位がアメリカ（16・6％）、2位が中国（12・0％）、3位が日本（8・6％）。輸入1位が中国（23・4％）、2位が日本（11・4％）、3位がアメリカ（6・0％）となっていました。

この数字はあくまで現時点のものだと考えておくべきでしょう。現在のタイでは、EV関連の投資がかつてない規模で進められています。なかでも際立った動きを見せているのが中国です。

すでに貿易においても大きな比率を占めるようになっていながら、今後はさらに中国が数字を伸ばしていくものと予想されます。

そうなればおのずと日本の位置付けは下がります。

日本とタイは長く友好関係にあるものの、タイと中国のつながりがそれ以上に深いと言えます。タイには華僑《かきょう》が多く、タイの富裕層のほとんどは華僑です。両国が関係を強化していく土壌は最初からあったということです。


タイとはどんな国なのでしょうか?

北側がラオス、西側がミャンマー、東側がカンボジアと接しており、ラオスの北に中国があり、カンボジアの隣がベトナムです。

人口は約6600万人なので、日本の半分ほどです。

タイでは固定資産税や相続税がほとんど発生しないので、資産の再分配がありません。その結果、富裕層と貧困層の格差は非常に大きなものになっています。

タイでもやはり少子高齢化が始まっていますが、経済格差の影響もあるのだろうと考えられます。

タイの人たちの現場力はどうかといえば、一長一短があります。

工場で働く人たちなどはできるだけ多くの給料をもらいたいので、残業を減らされると怒りだすこともあります。それくらい働くことには積極的です。

ただし、できるだけ長く働きたいためでもあるのか、生産性を向上させようといった考え方はあまりしない傾向が見られます。

「微笑みの国」とも言われているように、温厚でのんびりした人が多いイメージがあるかもしれません。実際にそういう面は強いと言えます。

現地で見ている限り、怠け者とマジメな人が混在していながらも、どちらかというと怠け者が多いのではないかという印象です。

カフェの店員が仕事中に寝転がってスマホをいじっているところなども目にしたことがあります。もちろん、すべてのタイ人がそうだというわけではなく、マジメに仕事をする人もいます。

装置の組み立てのような緻密《ちみつ》な作業に関しては、タイ人より日本人のほうが速くて正確なのは確かです。現地で工場を運営している社長は「同じ作業をするには日本の1・5倍の人員が必要だ」と話していました。

製造業ではとにかく正確性が求められます。何かの金属を削ったときには寸分の狂いもないものになっていなければなりません。少しでもズレがあれば、装置や製品が組み上がらなくなるからです。

日本の技術者は、およそは目視で狂いがないかを判断できますが、なおかつ室内温度を一定に保ち、変化をふせいだうえで精度を厳密に測定します。それくらい緻密な作業と判断が求められるものなのに、タイの現場ではそこまでの精度が保証されません。そのため基準を満たしているかを確かめる受入検査が必要になります。

このような話を聞けば、タイは生産に向かないのではないかというイメージを持たれるかもしれません。それでもタイは、労働力を確保しやすいこともあり、どの国にとっても重要度が高い拠点になっているのです。

■巨大な工業団地でも目立つ、中国企業の進出

近隣国のベトナムにはVinFast（ビンファスト）という自動車メーカーがあります。ベトナム最大のコングロマリットに成長したビングループが２０１７年に設立したメーカーです。

VinFastは年間、自動車を25万台、バイクを50万台製造できるようになりました。ベトナムにはそういう力があるのだと見ていいでしょう。

VinFastは、ガソリン車の生産をやめて、ＥＶ製造に注力していくと発表しています。ＥＶ製造に関してもタイとの協力関係が強固なものになるのは疑われません。

タイは、自国で新しいブランドをつくることはしなくても、他国のＥＶ企業を招き入れたうえで労働力を提供できる国です。

VinFastだけの話ではありません。さらに具体化した動きを見せているのが中国のＥＶメーカーです。

製造拠点としてのタイ国内での勢力図は今、大きく変わろうとしています。

タイには100以上の工業団地があります。

政府が運営する団地もありますが、40以上の団地は民間が運営しています。

規模はさまざまながら、Amata corporation（アマタコーポレーション）が運営する工業団地は広大です。

「アマタシティ・チョンブリ」が約40平方キロメートル、「アマタシティ・ラヨン」が約27平方キロメートルあります。

40平方キロメートルといえば、東京ドーム850〜900個分の敷地面積です。日本の工業団地は端から端まで1キロくらいのところが多いイメージなのに対し、アマタシティ・チョンブリは入り口から奥まで14キロあります。それだけ広大な敷地に750社以上の企業が入り、約20万人が働いています。

アマタシティ・チョンブリは、日系企業が最も多く進出している工業団地です。

トヨタをはじめ、デンソー、アイシン、いすゞ、ヤマハ、日産、マツダ、ホンダが操業しています。

自動車メーカーや関連企業がこぞって進出してきているわけです。

タイのアマタシティ・チョンブリに広がる工業団地（著者撮影）

タイでは年間180万台から200万台くらいの自動車が製造されています。輸出もしているので、国内での新車の販売台数は年間80万台ほどです。それを支えてきたのが日本のメーカーだったと言っていいでしょう。

トヨタの存在感はやはり強く、いすゞなども人気です。タイ都市部の道路を走っている自動車の9割ほどは日本車というイメージです。

自動車関連だけではありません。アマタシティ・チョンブリにはオークマなど工作機械メーカー、電気機器メーカーも進出しています。

一方のアマタシティ・ラヨンには445社以上の企業が入り、9万人〜10万人が働いています。

この工業団地を訪ねて工業団地のオーナーと話をすることができました。オーナーによれば、これまでは日本企業が目立っていたのに、「最近、中国系が逆転した」、「その多くが自動車関連企業」だといいます。

看過できない事態です。日本の企業の優位性が奪われているのがわかるからです。

2023年にはタイで製造業系の展示会が開かれました。1149社が出展したうち496社が中国系の企業でした。40％を超えています。

この展示会に出展していた日本企業の担当者は、中国の本気度を知り、危機感をつのらせていたものです。

■FAメーカーの売上げ下落が意味することは？

ここ数年、タイでは日本のFAメーカーの売上げが急速に下落しているのも見逃せません。FA（Factory Automation＝ファクトリー・オートメーション）とは生産工程の自動化を図っていくもので、ＦＡメーカーはそのために必要な機器を販売します。産業用ロボットなどもそうです。その売上げが激減しているのだから理由が気になります。タイで産業用ロボットの需要がなくなったのかといえば、そんなことはありません。むしろ逆です。２０２０年から２０２１年にかけて、タイのロボット市場は36％成長した、という数字も出ています。

コロナ禍で日本がタイへの投資を停止していたこともありますが、中国がこの分野においても投資を継続・増加していたというのが真相です。

また、新しいモデルの自動車を造る際には「金型」と呼ばれる型枠が必要になります（自動車のフレームは金型を使って金属板を成型加工して造られます）。タイで造られる金型の数はものすごく減っていることにも注意しなければなりません。

日本の自動車メーカーが、タイで新しい自動車を売り出すプロジェクトをほとんど進めていなかったことの表れだからです。

そういうなかにあり、タイではＥＶ関連企業の発注が爆発的に伸びていきました。

主に発注しているのは中国です。

２０２３年段階で中国企業はまだタイ現地でＥＶ本体の製造はしていませんが、協力体制は堅固なものになっています。そして２０２４年からは中国メーカーがタイでＥＶ製造を本格的にスタートさせます。

工業団地への大がかりな進出によって準備はすでに整っているのです。

■中国ＢＹＤの脅威

東京モーターショーを前身とする第1回ジャパンモビリティショー（２０２３年10月～11月）では、中国のＢＹＤ（比亜迪）のＥＶブースが大きな話題になりました。

ＢＹＤはもともと、電池やＩＴ部品の生産を得意分野にしていましたが、２００３年から自動車業界に参入しました。ＥＶにはとくに力を入れており、現在では中国を代表するＥＶメーカーになっています。創業者の王伝福（ワン・チュアンフー）会長は、中国一の資産家だとも言われています。

ＢＹＤがジャパンモビリティショーで発表した5つの新モデルの革新性と技術力の高さには誰もが驚きました。中国車に対して「しょせん……」という見方をしていた人などは完全にイメージを覆されたのではないかと思います。ＥＶの先進性では、日本メーカーよりも先に行っているのが明らかだったのです。

ＢＹＤは、アマタシティ・ラヨン工業団地で96万平方メートルの敷地を取得して、２００社ほどのサプライヤーを引き連れてきて一大拠点を構えました。

進出にあたってＢＹＤの担当者は、日本の協力メーカーの担当者に対して「２０２４年にはタイで15万台のＥＶを造る」と宣言したそうです。

タイでの年間新車販売台数は80万台ほどなのです。

ＢＹＤの担当者は「タイでは日本の自動車メーカーが強い競合となっているが、５年から10年後には中国車がメインの市場になっているだろう」とも話していたそうです。日本のメーカーでは考えにくいほど若い担当者でありながら自信に満ち溢《あふ》れた様子だったともいいます。

タイでは日本のピックアップトラックが人気になっているなか、ＢＹＤはＥＶのピックアップトラックを出すことも計画しているそうです。

現地採用も積極的に行っており、生産台数の目標は難なく達成されるのではないかと予想されます。

■タイでの自動車購入価格は？

タイ人にとって自動車はどのような買い物なのでしょうか？

タイ人の大卒初任給は日本円で5〜7万円くらいで、平均月収は約10万円、年収で120万円〜150万円くらいです。

近年、トヨタのヤリスは55万バーツから69万バーツくらいで、ホンダのＣＩＴＹは60万バーツから73万バーツくらいです。

1バーツ4円として、55万バーツなら220万円、70万バーツなら280万円です。

これらの車は年収の1・5倍から2倍に当たります。

タイ人の感覚としては、家を買うのにも近い買い物になるようです。

高級車に分類されるテスラが200万バーツくらいなので約800万円（モデルによっても異なります）。

ベンツはＡクラスで200万バーツ、Ｅクラスで325万バーツくらいです。Ａクラスならテスラと同程度で、Ｅクラスなら１３００万円くらいになります。

ＢＹＤはどういう価格帯かといえば、70万バーツから85万バーツあたりです。ホンダのＣＩＴＹより少し高いくらいですが、ＥＶとしては比較的手を出しやすい価格です。

中国ＥＶのＮＥＴＡ（Hozon Auto〈合衆新能源汽車〉で製造する自動車のブランド名）も人気です。60万バーツ前後なのでヤリスやＣＩＴＹと同じか少し安いくらいです。ＮＥＴＡも２０２４年からタイ工場を稼働させる予定です。


私が入手した２０２３年の6月速報では、ＥＶに限定すると、直近1か月で最も売れたのがＮＥＴＡで、２位がＢＹＤになっていました。

ベスト10に日本車がまったく入っていなかったのはショッキングなことでした。これまでタイでは、街を走っている車のうち日本車が9割ほどを占めているようなイメージだったのですから非常事態です。

中国ＥＶはまだタイで生産されておらず、輸入販売になっているにもかかわらず、これだけ売れているのが実情です。

２０１８年に結んだ関税協定で中国製ＥＶは関税０％にしていたことも背景として大

きいのだと考えられます。

当時、タイ政府はＥＶに対して〝ゴルフカートと変わらない車〟といったイメージを持っていたようです。しかしＥＶは、すぐにそういうレベルの車ではなくなりました。タイ政府としては関税を引き上げたい気持ちが強くなっているはずですが、タイにとっての中国は農作物を輸出する得意先です。そのあたりを含めた駆け引きで中国に主導権を握られているようです。

これからタイでＥＶの需要がどんどん高まっていくのは間違いありません。

私がタイ農村部で聞き込みをした際には「ＥＶ購入を検討している」という声がかなり聞かれました。

農村部ではまだ充電ステーションが充実していないので、設備が整備されれば、実際の購入に踏み切られるのだろうと予想されます。

都市部では、ガソリンスタンドには必ず1台分の充電ステーションがあり、ショッピングモールには5台分以上の充電ステーションがあります。充電の予約はアプリからでも行え、インフラが整えられつつありますが、各ステーションは順番待ちが発生し、家庭に充電器を取り付けようとすれば工事が1年待ちの状況です。

それでも日を追うごとに外部環境は整ってきています。

タイで本格的にＥＶが売れ出したとき、日本車メーカーが中国メーカーに勝てるのかといえば、非常に危ういと言えます。

タイの「国際モーターエキスポ」では、これまで日本のメーカーが圧倒的に上の立場にありました。しかし、２０２２年のモーターエキスポではＢＹＤのブースのほうがトヨタよりも大きくなっていました。それくらい勢いをつけています。


タイにいる知人からは、「日本が大好きで日本企業で働いていた友人が、迷いに迷った末に中国のＥＶ企業に移った」と聞いたこともあります。

これまで日本企業に勤めていた優秀な人材がこれからどんどん中国系企業に雇用されていくことも十分考えられます。

将来性などさまざまな理由があるのでしょう。待遇面からいっても中国企業を選ぶのが妥当な判断になってきたということです。

職場としてどちらを選ぶかという問題に限りません。

タイ人にとって中国ＥＶは、日本車にもまさるほど魅力的なブランドになっているのは間違いなさそうです。

２０２３年の12月速報では、ＥＶへの補助金政策などの恩恵もあり、ＥＶの販売シェアが20％に迫るなど、私が以前から予想していたことが現実のものになっています。トヨタの決算報告書でもタイの動向は見定めることが難しいという内容が表現されています。

POINT

- □日本の製造業の重要拠点、タイ国内の勢力図が大きく変わろうとしている
- □中国製ＥＶは、先進性で日本メーカーよりも上をいっている
- □タイでは中国ＥＶのシェアが大きくなってきている

日本の製造業の足元は本当に危うくなっている

タイにはトヨタグループのTier１にあたるメガサプライヤーが集結しています。自動車業界でよく使われる用語ですが、Tier１とは一次請け企業のことです。Tier２は二次請け、Tier３は三次請けとなります。

デンソーやアイシンのような会社はメガサプライヤーと呼ばれ、トヨタグループのTier１にあたります。

これらのメガサプライヤーはタイに東南アジア最大級の工場を構え、日本の自動車メーカーに製品を供給するだけでなく、他国にも輸出しています。

タイの工場は利益率が高く、その利益を次の開発の原資に充てる構図もできています。日本の企業にとってタイはそれだけ重要な拠点になっているわけです。

だからこそアキレス腱《けん》にもなりかねません。ここを攻められて失ってしまえば、非常に厳しい状況に陥ります。

先にも触れたようにタイ人は誰もが勤勉で丁寧な仕事をするわけではありません。それでもTier 1の工場の生産力は高いと言えます。

Tier 2以下ではやはりレベルが下がります。

タイでは自動化を考える発想が持たれにくいので高度な装置産業も育ってきませんでした。ここにきてデンソーがタイに、教育機関と連携した教育プログラムをつくりましたが、これまでの日本企業はタイの労働力を頼りにしていても、労働の質に対しては一定以上の期待を持たずにいたとは言えそうです。

そういう背景も関係しているのでしょう。

日本の企業にとってのタイの工場は、注文に合わせて必要な部品を造ってくれればいい〝出先機関〟のようになっていたのです。日本のメーカーのほとんどはタイに設計部門を置かず、設計は日本で行うやり方を当たり前のようにしていました。

そして今、その是非が問われるようになっています。

仮に中国のBYDやNETAが、タイで設計から部品製作まで行うような組織体を形成した場合、設計から部品製作までの設計改革を進めやすいので、そのような中国メーカーと闘っていかなければならず、日本のタイにおける立ち位置を脅かす可能性があります。

著者が訪れたタイのデンソー（著者撮影）

中国のＢＹＤやＮＥＴＡが、タイで設計から部品製作まですべてを行おうという考えであれば、両国のスタンスの違いがこれから大きくなりそうです。

ＢＹＤが現地で設計部門を動かしはじめ、データと連携しながら製品の改良、改善をしていくようになれば、スピードで大きな差をつけられてしまいます。

日本企業の経営陣がそうした危機が迫っていることに気づいているかといえば、とてもそうは感じられません。タイに派遣されている責任者たちが問題意識を持っているようには見えないのです。

現地の責任者たちは、２、３年で交代し

て日本に帰国するケースがほとんどです。特別な成果をあげなくても無難に過ごせばいい……という考えになりやすいため、何かの改革をしようとする意志を持ちにくいのかもしれません。そのうえ、本社に対して悪い報告はまずしません。情報の断絶が起きやすいかたちになっているのでしょう。

日本の企業にとってのタイが、あくまでも出先機関だという位置付けであることが、こうした面からも察せられます。そうでなければ、こうした危うい状況が放置されているはずがないからです。

繰り返しになりますが、タイの拠点を失うことになれば、そのマイナスは計り知れません。日本の企業はそのことをわかっていないのだろうかと愕然《がくぜん》とさせられます。

この章で、どうしてタイの現況を扱ったのかといえば、EV市場の動向を知るにはうってつけだということがまず一点です。

もう一点は、日本の製造業の足元がいかに危うくなっているかがわかりやすいということ。日本にとって中国企業が大変な脅威になっているにもかかわらず、そのことに対して日本企業が鈍感すぎることがさらに問題を大きくしている……。そういう構図がハッキリと示されているのがタイだからです。

日本の自動車業界だけでなく、製造業全体、そして政府や経済界が切迫感を醸成していくことが喫緊の課題になっています。

POINT

- □日本はタイを〝出先機関〟として扱い、設計部門を置くことをしなかった
- □中国のＥＶ企業はタイを、スピード感ある対応ができる本格的な製造拠点にしようとしている
- □日本の製造業界が今の状況に危機意識を持たないことこそが問題である

第３章

なぜ日本の
自動車メーカーは
世界に取り残されたのか

■日本の自動車メーカーはEV移行に前向きではなかった!?

日本の自動車メーカーにとってEVはどのような位置付けなのでしょうか？　まずはそこから見直していく必要があるのかもしれません。

たとえばトヨタは、EVを語る際にはカーボンニュートラルの定義から入ります。基本的な確認をしておけば、従来のガソリン車を走らせればCO_2が排出されます。それを抑えるためにEVへの移行を求める声が大きくなっているわけですが、そもそもEVに必要な電気はどのように造っているのでしょうか？　火力発電だとすれば、電気を造る段階ですでにCO_2が排出されていることになります。車を生産する際にも、廃棄する際にもCO_2は排出されます。

そうした現実を踏まえて検証するのが「ライフサイクルアセスメント（Life Cycle Assessment＝LCA）」です。

製品（自動車）の使用時だけでなく、製造、輸送、販売、廃棄、再利用までトータルで見ていかなければ意味がないという考え方です。

ＬＣＡ評価をしているのはトヨタに限ったことではありません。日本の他の自動車メーカーや海外のメーカーもＬＣＡ評価はしています。

そのなかでもトヨタはとくにこの考え方を強く打ち出している印象があります。１９９７年以降、すべての乗用車に対してＬＣＡ評価をしてきたのですから徹底しています。

ＥＶは環境にやさしいという見方がされていても、ＬＣＡを検証すればCO_2の排出量を減らせているとは限りません。

とくに軽視できないのが電池の製造過程で排出されるCO_2量です。

電池の製造にはおよそ10段階の工程があります。細かい段階を省略して簡単に説明するなら、まず正極と負極をつくり、両者を合わせて電池にします。

正極、負極の元になるのがスラリーという混合物です。正極活物質（負極活物質）や結着剤などを練りながらつくっていくものです。そのスラリーを、正極ならアルミ箔《はく》、負極なら銅箔に塗ります。

スラリーはソフトクリームのような粘りのあるもので（「おかゆ状」とも表現されます）、

正極、負極をつくる際にはスラリーを乾燥させながら巻き取っていきます。この乾燥段階だけでもかなりのCO_2が排出されます。100メートルほどのラインで乾燥させるので、エネルギーや熱量を放出します。

現在は電池を製造する際、いかにCO_2の排出量を減らせるかということで開発が進められています。

電池生産に限らず、EV製造時には多くのCO_2が排出されます。

国際エネルギー機関（IEA）は、EV製造時に排出されるCO_2は従来のガソリン車の約2倍になるという見解を示しています。

フランスのような原子力大国で、エネルギーの9割を再生可能エネルギーで賄いながらEVを製造しているのであれば、トータルで見たCO_2排出量もマイナスにできるのだとは思います。しかし、火力発電に頼っている国であれば、EVへ切り替えても、CO_2排出量はかえって増えてしまうこともあり得ます。

現在の日本の発電電力の内訳を見れば、化石燃料による火力発電が70％以上を占めており、再生可能エネルギーの割合は21・7％程度です（原子力発電は約6％）。そういう日本においてはＥＶへの切替が必ずしも有効になるとは言えないわけです。

初期段階では充電ステーションなどのインフラが充実していなかったこともありますが、トヨタをはじめとした日本のメーカーは、ＥＶへの移行にもともと前向きではなかったと見ることもできるのです。

■ＥＶ市場と「プロダクト・ライフサイクル」

自動車に限らず、新しい市場を考える場合、企業はプロダクト・ライフサイクルを考えます。

製品が市場に登場してからの変遷を4段階に分ければ、まず「導入期」があります。

市場を開拓していく段階なので、購入してくれるのは、価格が高くても新しい製品に目がないタイプの人たちに絞られ、需要は決して大きくありません。開発費もかかるので利益を見込みづらい時期です。

次に「成長期」がきます。

需要が急速に伸びる時期なので、競合他社が増加します。他社製品と比較されるので、新たな製品開発が必要になります。

EVはすでに成長期に入っているのではないかと考えられる人もいるかもしれませんが、今はまだ導入期です。

2022年時点で新車販売台数に占めるEV比率は約14%でした（IEAの発表データより）。

エベレット・M・ロジャースの「イノベーター理論」を聞いたことがある人は多いと思います。消費者を5つの層に分類して分析する考え方です。

イノベーター理論によれば、最初の消費者となるイノベーター（革新層）は全体の2・5%。次の13・5%がアーリーアダプター（初期採用層）です。

次の34・0%がアーリーマジョリティ（前期多数派）。

その次の34・0%がレイトマジョリティ（後期多数派）。

最後の16・0%がラガード（遅滞者）に分類されます。

EVを購入しているのはまだ、アーリーアダプターという段階なのです。そして、ジェフリー・ムーアの「キャズム理論」によれば、アーリーマジョリティの階級に至るには

図1　キャズム理論の図

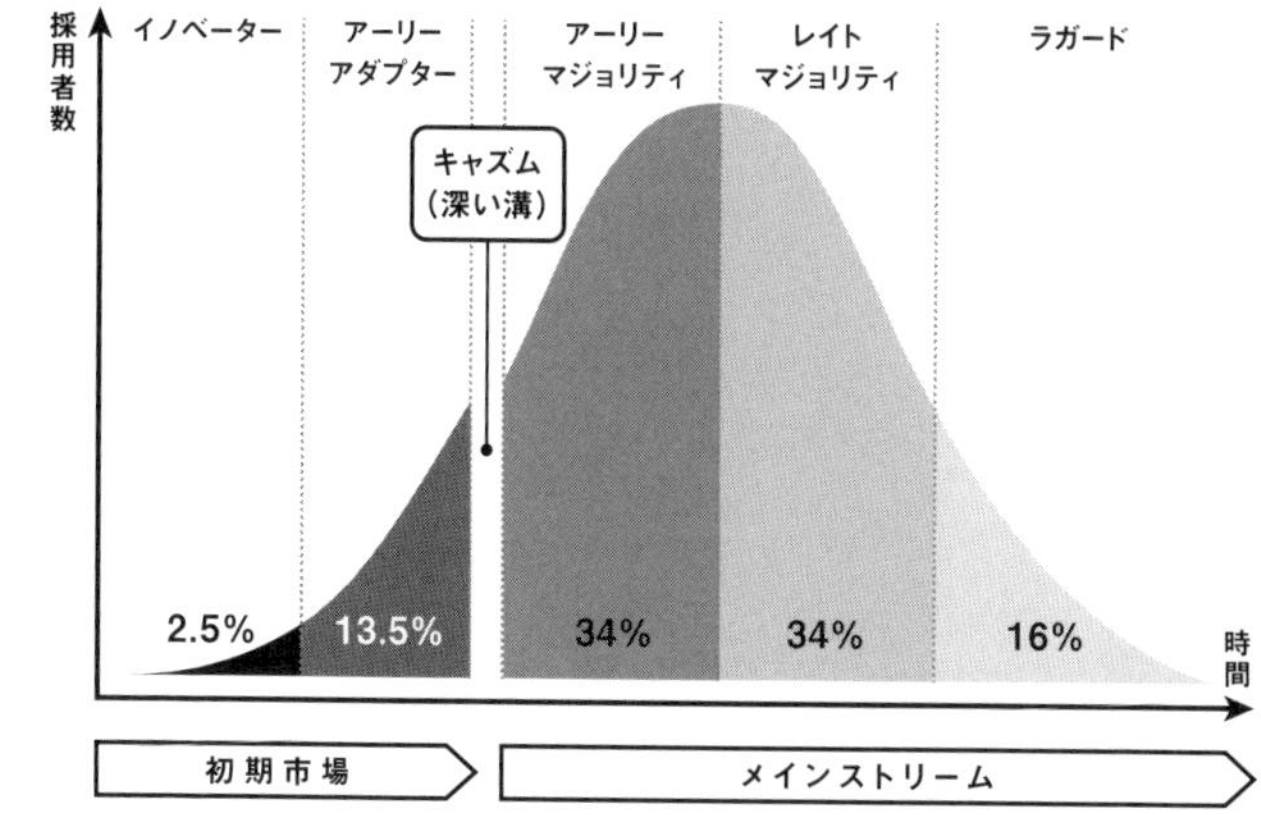

時間を要します。

この後、成長期に入れば淘汰《とうた》が始まり、メーカーのなかから落伍者が出てきます。

現在は、厳しい競争を迎える前の助走段階であるとはいえ、ここで遅れをとっていると、勝負どころに入っていく段階での位置取りが問題になります。

箱根《はこね》駅伝の2日目復路が、初日往路のタイムによって時間差でスタートしていくことになるのをイメージしてもらうといいかもしれません。

箱根駅伝では、さらに往路の優勝校から10分以上のタイム差がある学校は復路一斉スタートになります。最終順位は往路と復路の合計タイムで決められるものの、一斉スタートとなった学校が上位争いをするのはかなり難しいのが現実です。一斉スタートにまではならずに済んでも、タイム差が大きければ優勝までは望みづらくなります。

EVをめぐる競争もそれに似ていて、なかば結果が見えてきてもおかしくない段階にきています。

導入期に利益が見込みづらいのは当然です。

EVでいえば、専用の電池を開発して電池工場を建設しなければなりません。それも、できるだけCO_2の排出を抑えて製造できる工場にする必要があります。

電池に限らず、新設すべき施設は多いうえにインフラも整備しなければなりません。

支出は多いのに、売上げは少ない状況です。

成長期に入れば利益が出せるかといえば、それもわかりません。競合が増えることで、開発競争、価格競争が激化するからです。

導入期にどういうスタンスで臨むかがその後を左右します。

成長期の次にくるのが「成熟期」です。

市場の拡大は鈍化するものの、競合は限られた状態になっているので、勝ち残ってシェア1位、2位といったポジションを得られていたなら大きな収益をあげられます。

次が「衰退期」です。

市場は落ち着き、売上げなどは減少していきます。しかし、成熟期に利益が出せなかった企業は撤退しているので競合は少なくなっています。

市場そのものが完全に衰退していなければ一定の利益を出し続けていけます。

今、中国市場に限って言えば、トヨタのハイブリッドカー市場は衰退期に入っているイメージでしょうか。

EVに関して中国は、成熟期に入ったときには必ずトップに立っていることを義務付け、衰退期に生き残って利益を独り占めにすることを前提に戦略を立ててきました。

対して日本は、様子見のようにしていた面が強かったと言えます。地域によっては、このまま成長期に入っていけば〝逆転が望みづらい復路スタート〟になってしまいます。

現実的に言えば、ほぼそれが確定してしまっているような状況です。

■中国のカーボンニュートラルとトヨタのカーボンニュートラル

ＥＶ普及率は国や地域ごとにずいぶん差がついています。

新車販売台数に占めるＥＶ比率は約14％ですが、ヨーロッパ全体で見れば21％です。中国は30％、アメリカは８％。日本は３％です。

中国は序盤から果敢な攻勢をかけてきました。

ただし、ＥＶ生産過程におけるCO_2排出を抑える努力をしていたかといえば、何ほどもしていなかったのだろうと想像されます。環境にいいＥＶに移行すると言いながら、化石燃料をどんどん燃やし続けていたのが現実だったはずです。

ＥＶを推進しながら、本当の意味で環境を考えていたとは言えないわけです。

中国にとってそこはたいした問題ではなく〝ビジネスに勝てればいい〟というスタンスなのだと見るほかはありません。

トヨタはそれと対照的です。２０２１年に行った「電池・カーボンニュートラルに関する説明会」では次のように話していました（プレゼンテーションを担当したのはChief

Technology Officer の前田《まえだ》昌彦《まさひこ》氏)。

「我々の試算ではＨＥＶ（ハイブリッド自動車）３台のCO_2削減効果はＢＥＶ（バッテリー式電動自動車）１台とほぼ同等です。現時点ではＨＥＶのほうが比較的安価に提供できるので、再生可能エネルギーがこれから普及していく地域ではＨＥＶを活用した電動化などもCO_2削減に効果的だと思われます。一方で再生可能エネルギーが豊富な地域ではＢＥＶやＦＣＶ（燃料電池自動車）などのＺＥＶ（ゼロエミッションヴィークル）の普及がより効果的だと考えています」

ＺＥＶとは「CO_2などの大気汚染物質の排出がゼロの乗り物」という意味です。

ＥＵでは「２０３５年までにすべての新車をＺＥＶにする」という法案が２０２３年に可決されています。

対して日本ではＺＥＶ規制は敷かれていません。そのためＺＥＶへの完全移行ということには縛られず、環境を考えた戦略をとることができたのです。

この会見では次のようにも説明されていました。

「エネルギー事情が違えばCO_2排出量を削減する選択肢も異なるので、カーボンニュートラルの達成に向けて選択肢が広がるように、さまざまな方策にトライを続けていきます。このような視点に立ち、トヨタは電動車両をフルラインナップで準備していきます。それぞれの地域においてお客様の利便性を考慮しつつCO_2排出量を削減する、サステナブル&プラクティカルな商品を提供したいと考えています」

〝正しい〟トヨタはこれから大丈夫なのか？

EVは、ある意味、特殊な産業です。

インフラが整っていない砂漠地帯でEVが走るのか？

産油国ではEVに切り替えていく方針が立てられるのか？

などというように不透明な部分も少なくありません。

トヨタが本格的にEVへ切り替えようとしなかったのは、何年か後には正解だったと見られるかもしれないわけです。


ただし、世界がEV（ZEV）だけを求めるようになったとしたなら、驚異的な勢いでEVへの移行を進めてきた中国に対抗することができるでしょうか。

トヨタにしても、「BEVやPHEV（プラグインハイブリッド車）の導入を加速させ、電動車の選択肢を増やす」という方針を示していますが、果たしてそれで中国のメーカーに追いつけるのかといえば、心もとないものがあります。

世界がZEV規制を絶対的なものにしたなら、トヨタの今後は危ぶまれます。

地球環境への影響ということを考えれば、トヨタの判断は正しかったのかもしれません。それでもやはり、EVに力を入れていくのが遅すぎたのではないかと見えてしまうのです。

POINT

- □LCAから検証すれば、EVが環境にやさしいとは限らない
- □EV市場で中国は「成熟期」「衰退期」に勝ち残る戦略をとってきた
- □世界がEVを選択したなら、日本は遅れを取り戻せない可能性が高い

■製造現場の風景を変えたギガプレス

工場において設備の意味が大きいのは当然です。

たとえばダイキャストマシン（ダイカストマシン）と呼ばれるものがあります。溶かした合金を金型に注入して成形する鋳造用機械です。

ダイキャストマシン自体、機械重量が数百トンもある非常に大きなプレス機です。そのなかでも、テスラの工場で採用され話題になったＩＤＲＡ（イドラ）のギガプレスは、通常モデルでも機械重量が数千トン、最新機種では９０００トンもの重量があります。

このマシンはアルミを流し込み、プレスして成形を行いますが、これでＥＶの車体（リアアンダーボディ、フロント部等）が一体成型できてしまいます。

これまで車体を作るにはリアアンダーボディだけでも、70から１００ほどの部品を組み合わせていく方法がとられていました。ギガプレスを使えば、リア部分の部品が１つになるので組み立て工程がなくなります。

驚くべきことに、車体を造るのに組み立てをしなくて済むのです。

これまでならば複数の工場で分けて行われることが多かった作業を1つの工場であっという間にできるようになったということです。

輸送の手間が省かれ、各部品の金型やバリ取りをする工作機械、溶接の装置なども必要なくなり、そこに従事する人々も必要なくなります。そこで生まれる違いが絶大なものになるのは言うまでもありません。

ギガプレスを開発したIDRAはもともとイタリアの会社でしたが、中国の企業に買収されました（2008年）。当然、中国のEV企業ではギガプレスの導入が相次いでおり、企業によっては1社で5台以上導入しているケースもあるようです。

トヨタも同じような技術を開発し、EV製造に導入することを発表しました。

トヨタの場合、車体をフロントアンダーボディとフロア&リアアンダーボディの3つに分け、このうちフロントアンダーボディとリアアンダーボディをギガプレスで成形する方法をとるようです。

さすがに技術面ではトヨタも負けていないのがわかります。

ただし、このEVが発売されるのは2026年になるといいます。やはり後手に回っている印象はぬぐえません。

参考のために書いておけば、ギガプレスのようなギガキャストマシンがいくらすぐれているといっても、成形時にはどうしてもバリと呼ばれる金属のかえり(はみ出した部分)が出ます。

通常、バリ取りは専用機械や工作機械を使って行います。一方で、ギガキャストマシンで射出成型される金属ワークは、自動車の車体を想像いただければわかるように非常に大きく、専用機械や工作機械に入らないため別の方法でバリ取りを行います。ギガキャストマシンで成形したワークは、ロボットのアームにエンドミルと呼ばれる切削工具を取り付けてバリを除去する方法です。この方法は手間と時間がかかります。

そのため、中国の工場では現在、非生産的ですが、機械工がグラインダーという電動工具を使ってバリ取りをしています。

工場内にはグラインダーの音が鳴り響いています。

原始的な音と光景です。それでもこの音は、ギガキャストマシンによってEVの車体が大量生産されている証《あか》しと言えます。

そしてまた、いつまでもこうした作業方法がとられていることはないはずです。近いうちにロボット制御を成熟させ、ロボットのみでバリ取りをするようになることが予想されます。つまり、〝手の内化〟されるということです。何かしらの改良が加えられることになるものと予想されます。

いずれにしても、中国ですでにギガキャストマシンがフル稼働しているのは事実です。日本のメーカーはギガキャストマシンを導入できていません。明らかな差だと思いませんか？

■別次元の性能を誇るマシンを導入しない日本の自動車メーカー

設備に関してもう1つ知っておいてほしいのは、FSW（摩擦攪拌《かくはん》接合）という技術についてです。

種類が異なる金属の部品がそれぞれ1つずつあったとき、2つをくっつけるのはなかなか大変です。穴を開けてネジで止めるか、溶接するか、どちらかを選ぶのが従来のやり方でした。

ＦＳＷはどちらでもありません。

摩擦熱で軟化させた材料を攪拌して接合します。

イメージしにくいでしょうか。

簡単にいえば、回転させながら押し付けていく方法です。

材料を溶かすこともなく、溶接以上の強度で接合できます。２つの部品の材質が違っていても、難なく、くっつけてしまえます。

ＦＳＷを用いれば、加工した部品を別の機械や溶接工程のために運搬する必要がなくなり、同じ機械内で接合ができ、工程を減らせます。ギガキャストマシンと同じように生産現場の概念を変えるほどの価値があるものです。

ＦＳＷを使わないと、ねじ締めの工程を必要としたり、そのための装置や人が必要になります。


中国ではＥＶを製作する際、当たり前のようにＦＳＷが使われているのに、日本の自動車メーカーはＦＳＷを採用していません。

既存の設備とは比較しようがない別次元の性能を誇るＦＳＷを開発したのがどこかと

ヤマザキマザックのFSWを実施できる機械（著者撮影）

いえば、日本のヤマザキマザックです。

それにもかかわらず、日本の自動車メーカーがEV生産のためFSWを導入しないというのは本来考えにくい話です。

理由はいくつかあるようですが、採用をためらうほど決定的なものではありません。

FSWを使って部品を接合するのと、いつまでもネジ止めしているのとの違いはあまりに大きいものがあります。

機械を導入しないのはどうしてなのでしょうか。

あくまで個人的な見解ではありますが、EV市場の競争を絶対に勝ち抜かなければならないという切迫感が醸成されていないからではないかと思えてしまいます。

POINT

□EVの車体は一体成形できる時代になっている

□トヨタの技術は負けていないが、後手に回りすぎている

□FSWの非導入からも、日本ではやはり切迫感が醸成されていない

■電池産業では50%あったシェアが半減！

生産方式でも大きな遅れをとっている日本のメーカーは、電池に関しても取り返しのつかないほどの後退ぶりを見せています。

EVにとって電池は要です。

電池の性能が向上すれば航続距離も伸びます。同じ車種でも電池を替えたことにより200キロから400キロにまで伸びた例もあります。

車体価格の約3分の1はバッテリーに占められているとも言われているので、比重としてものすごく大きいわけです。

ヨーロッパでは近年、大変な勢いで電池企業を育成してきました。

電池工場が次々に新設され、現在は約30工場がすでに稼働し始めており、2030年には2020年の20倍の生産能力になるものと見られています。

中国もそうです。車載電池関連事業への投資を年ごとに増やしてきました。

2023年段階で、車載電池の出荷量では、世界の上位10社に中国企業6社がランクインするほどになっています（中国のマーケティング会社GGIIの発表より）。

そのうえ中国大手電池メーカーの国軒高科（ゴーション・ハイテク）は、20億ドルを投じてアメリカのイリノイ州に新たな工場を建設しています。

図2から、2015年段階では車載用リチウムイオン電池で日本が約50%のシェアを占めていたのに、2020年になると中国が約37%、韓国が約36%と競り合い、日本は約21%まで下がっています。

この分野に対する力の入れ方の違いがハッキリと出たかたちです。

電池（リチウムイオンバッテリー）にはリチウム、コバルト、ニッケルなどのレアメタルが使われるので、原材料の供給も重要な意味を持ちます。

電池の原材料の分野でも日本企業が圧倒的に強かったのに、ここ数年で一気にシェアを落としてしまいました。

電池の原材料は、「正極材」、「負極材」、「電解液」、「セパレーター」に大きく分けられます。

図2　車載用リチウムイオン電池（世界）のシェア推移

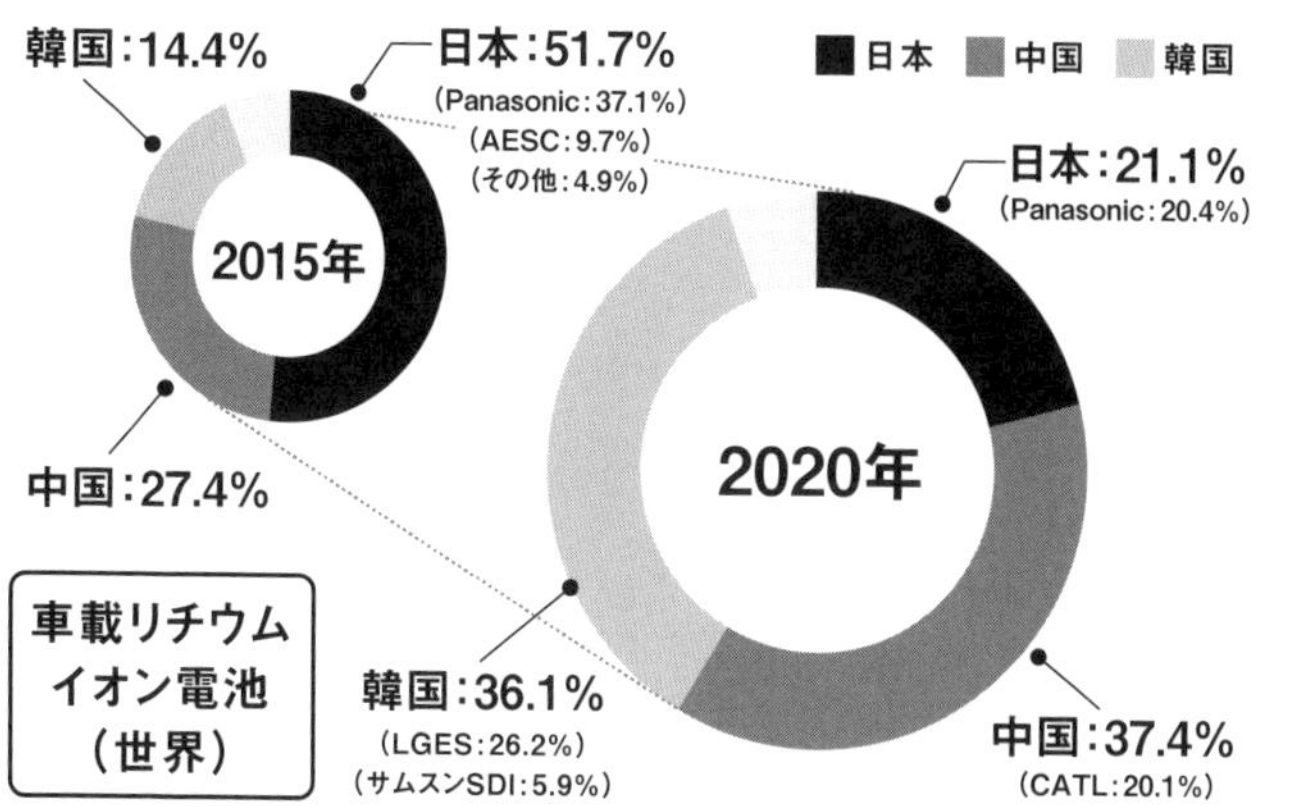

出典：富士経済「エネルギー・大型二次電池・材料の将来展望　2016－エネルギーデバイス編－」、富士経済「エネルギー・大型二次電池・材料の将来展望　2021－電動自動車・車載電池分野編－」に基づき経済産業省が作成

２０１８年時点で、日本企業の世界シェアは、正極材＝17％、負極材＝20％、電解液＝23％、セパレーター35％となっていました。

しかし、２０２１年には、正極材＝7％、負極材＝8％、電解液＝12％、セパレーター20％となったのです。

正極材や電解液では20％あったシェアがたった3年で10％前後まで落ちたのです。

負極材も大きく後退しました。

セパレーターのシェアもずいぶん落ちてしまいましたが、まだ健闘しているほうだとは言えそうです。セパレーターは正極と負極を分離させるための膜のようなもので、電池内部では正極板、セパレーター、負極板が重ねて巻かれています。安全性などを左右する重要な部材です。

いずれにしても、トータルで見ればビジネス感度が疑われるほどの惨敗ぶりです。

■電池産業を育成してきたヨーロッパと中国

電池についてこれだけはっきりとした逆転現象が起きたのは、国がこの分野の育成の重要性を理解していたかどうかの違いだったと言えます。

EUでは2019年に電池システムのサプライチェーン構築に関わるイノベーションプロジェクトを対象に最大32億ユーロの補助をしていくことが決められていました。そのうえ2023年にも、電池の製造強化のため、関連業界に対して3年間で最大30億ユーロの支援をしていく方針が発表されました。30億ユーロは約4800億円です(2024年2月時点)。


中国の動きはさらに早く、2007年頃には新エネルギー車の普及推進が国家主導のプロジェクトになり、まもなく電池産業の強化は国策に据えられました。以来、EVメーカー、電池メーカー、そして個人のEV購入者に対して、多額の補助金が支給され続けてきました。

中国には日本の電池工場もありましたが、補助金の対象にはなりませんでした。中国政府は、国内企業に絞って補助金を付けてきたのです。

2022年をもって中国の大規模な補助金政策は終了になったものの、それまでのあいだに電池メーカーなどEV関連企業はかなりの補助金を得ていたはずです。

2023年にはEUが、中国製EVが安価で販売されているのは「中国政府の巨額の補助金のためではないか」ということから調査に着手することを表明しました。「巨額の補助金が不当競争を招いているなら見過ごせない」ということです。国際問題に発展するほど極端なEV産業育成が図られていたのは間違いありません。

その是非は別にしても、中国やヨーロッパに比べれば日本政府はこれまで補助らしい補助はしてきませんでした。

■電池投資で遅れる日本

ここにきて日本も、投資には踏み切っています。

2023年の4月に経産省は、「特定重要物資」に指定した蓄電池の供給体制を強化するため、最大1846億円を補助することを決めました。

それを受けてホンダとGSユアサは、助成金の一部を活用して、総額4341億円を投じる電池工場を新設することを発表しました。GSユアサは、日本電池とユアサコーポレーションが経営統合した会社で、自動車用電池では大きなシェアを占めています。

この後の6月には、トヨタが進めるEV用リチウムイオン電池の生産拡大計画に約1200億円が補助されることが決まりました。

これまでの経緯から見れば、考えにくいほどの額でもあり、こうした変化は待ち望まれたことです。

しかし、それもまた遅すぎたのは確かです。

ホンダとGSユアサが工場を新設するのは2027年です。

国が重い腰をあげてくれたのはありがたくても、2027年にEV市場がどうなっているかはまったくわかりません。

導入期が赤字になることを覚悟しておくのは当たり前です。

中国などは、多額の補助金を付けることで、なかば強制的に企業を動かしました。EVをめぐる競争には必ず勝たなければならないと考えていたからです。

国が方針を打ち出したことで、これだけリードを広げてきたわけです。

私が自分のYouTubeチャンネルで、「中国のEV制作をあなどってはならない」という警鐘を最初に鳴らしたのは2020年の7月でした。政府や経産省が動くにはそれから3年かかってしまったことになります。

一方、現状でハイブリッドカーが伸びているのは日本にはプラスです。とはいえ、タイのように状況が一気に動いている地域もあります。自動車の製造には3〜4年を要し、やはり投資の判断が難しいといえるでしょう。

POINT

□EVの鍵《かぎ》を握る車載用リチウムイオン電池市場で、日本は惨敗を喫した

□早くから国の投資を受けて、電池の生産を進めてきたヨーロッパや中国と比べれば、日本は大きく出遅れているが、本当に大丈夫？

第４章

日本のものづくりは アナログ時代で 止まっているのか？

■三次元データを二次元図面にしてしまう不可解⁉

日本の製造業に関しては「方向性を誤っていたのではないか」、「どうして修正しようとしなかったのか」という疑問を持たざるを得ない面がいくつかあります。

設計データの扱いはその最たる部分です。

CAD（キャド）という言葉を聞いたことがある人は多いかと思います。computer-aided design。コンピュータ支援設計と訳されるようにコンピュータ上で設計を行うためのツールです。

現在、ほとんどの産業製品はCADを使って設計されます。電子機器はもちろん、ペットボトルのようなものでもそうです。

CADでは三次元（3D）で製品設計を行います。しかし信じがたいことに、CADで作成した三次元の設計データを、手作業によって二次元（2D）の図面に変換して、その二次元図面をもとに現場運営をしているところが少なくないのです。

デンソーも同じです。

大きなリコール問題もあったとはいえ、日本屈指の実力を誇る自動車サプライヤーです。2023年3月期の売上げが6兆4000億円にのぼっていたことからもわかるように業界最大手企業です。

三次元から二次元に変換する作業はコンピュータで行えるわけではありません。デンソーでは100人ほどのパートさんたちが分担して手作業でそれをしているというのですから信じがたい話です。

二次元のデータでやり取りしているのはデンソーだけではないのですが、どうしてそんなことをしているのでしょうか？

ひと言でいえば、三次元データを〝共通言語〟にできていないからです。

設計者（上流）は新しい技術を取り入れても、現場（下流）では従来どおりのやり方が続けられているので、そこに合わせざるを得ないのです。

手作業によって二次元化した図面をもう一度、三次元に戻せるかといえば、できません。少なくとも自動処理はできません。せっかくCADで作成した三次元図面をまったく応用が利かないアナログな図面にしてしまっているのです。

その弊害は非常に大きなものになります。

現状は、2次元図面を中心に現場運営がなされていますが、その不合理な面について、もう少し細かくお伝えしましょう。

製造現場には、「わざわざ工数をかけた」上で2次元化された図面が届きます。その2次元図面に対して、「ここを変えたい」「治工具の精度はこのくらいにしよう」「こういった装置を利用しよう」などの現場要求事項を追加していきます。

要するに、現場の生産に関わる要素を、当該2次元図面に集約していきます。

一方で、製品設計のモデリング（3D図面で内容を肉づけしていくこと）の際には、3次元図面と一緒にBOM（部品リスト：Bill of Materials）が可視化されますが、3次元図面を2次元図面に変更し、生産に関わる要素を2次元図面に集約するため、BOMのどの部分に対して、どのような生産工程が紐づく（どの工程で必要とされた）のかわからなくなります。

つまり、部品1個1個の本質的なコストについて、BOMではなく、2次元図面に対して情報を集約してしまうため、原価のフィードバックが正しく行われない。経営上、正しい設計であったのかがわかりません。部品やモジュールの本質的な原価が瞬時にわからないので、素早い経営判断ができないのです。

また、ＣＡＤデータに対応しているソフトは何種類もあります。

たとえば、「aPriori（アプリオリ）」というソフトを使えば、三次元データを読み込み、製造プロセスなどを考慮したコスト計算ができます。ネジを1本増やせば現場の工数がどれだけ増えるかといったことも瞬時に算出されます。

これまで人が頭を悩ませていたことを簡単にシミュレーションできるようになっているのに、二次元図面では、こうしたソフトも使えません。

メリットはなくデメリットばかりになることを100人がかりでやっているわけです。

なぜ、いつまでもそんなことをしているのでしょうか……。

さまざまな事情があることはこの後にも解説しますが、理解しづらいような話であるのは確かです。

■日本のデジタル化はどこへ行ってしまうのか?

デンソーは2020年12月に変革プランとして「Reborn（リボーン）21」を発表しました。

2022年3月までにどれだけの成果をあげられたかがまとめられています。

そのうち「デジタル化」という項目については……。

・データ活用による正しいコミュニケーションと、正しい業務遂行のためのデジタル風土が醸成

・社内で点在するデータ同士をつなぎあわせ、これまで手作業が中心だった業務を自動化・機械化

・デジタル化と同時に業務プロセスの見直しも実施し、より付加価値の高い業務にシフトできる環境を整備

これら3項目が挙げられていて、自社評価として○を付けています。

どういう評価をすれば○になるのかはまったくわかりません。

もしデンソーに「DX（デジタルトランスフォーメーション）を進める」という名目のコンサルタントが入っているとするなら、製造業の知識を持ち合わせていないのではないかと想像されます。そうであるなら、どれだけ目新しいような改革を進めても意味を持たないのがこの世界です。

日本の製造業にとって大きなマイナスになっています。

■機械の制御のために数千文字をポチポチと手打ち

異なる事例で、デジタル化の遅れを紹介したいと思います。

製作現場では、工作機械を使って金属を削るような作業がつきものです。

その際、工作機械に対しては、どこまで削ったらどちらへ向きを変えるかといった指示を出します。

第6章でも詳しく解説しますが、「制御」といいます。

そのために何をするかといえば……。

従来であれば、CNC（Computer Numerical Control＝コンピュータ数値制御）というプログラムにGコードと呼ばれるものを打ち込むやり方が主流でした。

G0からG99までのコードを組み合わせていきますが、それによって加工の開始点や停止点、動作、順番などを指定し加工パス（工具が動く動線）を作成します。

Gコードを打ち込むには、アルファベットと数字が書かれたボタンを一文字ずつ指で押していく必要があります。

タッチパネルなどではなく、昔のレジスターのようなボタンをイメージしてもらうといいかと思います。

コピーペーストなどはできず、数千文字をポチポチと指で打ち込んでいかなければなりません。一文字でも間違えば、機械が間違った指示に合わせて動きます。主軸がぶつかるような事故も起きがちで、そうなれば修理代には数百万円かかることもあります。

慎重さを要する大変な作業です。

しかし、CAM（Computer Aided Manufacturing＝コンピュータ支援製造）というプログラムがあれば、機械に読み込ませる加工パスがあっという間に生成されて、手作業でコード入力する必要がなくなります。

打ち間違いが起きないだけではありません。事前にシミュレーションもできるので、想定していた工程のどこかに問題があったとしても、作業前に修正できます。

ただし、このCAMを使うにも、CADによる三次元データが必要です。

二次元データでは使えないということです。

■次のフェーズに行けず、取り残される日本

aPrioriなどのソフトを使用できるようになることもそうですが、CADによる三次元データの応用範囲はとにかく広いと言えます。

ヨーロッパではCADを使った新しいソリューションが次々に生まれてきています。「デジタルツイン」はその最たる例です。コンピュータ上に、現実世界と同様の仮想空間をつくりあげ、シミュレーションを行う技術です。

商品開発や製造ラインの最適化や変更など、さまざまな部分で活用していけます。デジタルツインを使えばサイバーフィジカル上で、何回も仕様変更が可能です。現実世界のすり合わせでは、実物を動かす必要がありますが、デジタル上では何度でも簡単に仕様を成熟させることができます。

ドイツ最大級の電機メーカーであるSiemens（シーメンス）やフランスのSchneider Electric（シュナイダーエレクトリック）などはデジタルツインを使った取り組みで最先端を行く企業です。

CADを生かすことで、ヨーロッパの製造業は次のフェーズに入っていると見ることもできます。

製造業関係では世界最大級の展示会である「ハノーファーメッセ」に行けば、デジタルツインを使った取り組みが紹介されているなど、日本との差が開くばかりになっているのが痛感されます。そういう場所に日本の企業から視察に来ている人が少ないのも危機感のなさの表れと見るしかありません。

デジタル化によってもたらされる変革は想像を超えるものがあります。世界がそういう動きを見せているにもかかわらず、いつまでも二次元データでやり取りをしているのはあまりに時代錯誤です。

あらゆる可能性を閉ざすことにもなっています。

■先行投資ができない製造現場

日本の製造業では、仕組みとしてデジタルへの移行が難しい面もあるのは確かです。たとえば、何かの製品や装置を組み立てるには、さまざまな規格の加工部品（金属部品）が必要になります。その際、少量生産を請け負ってくれるジョブショップなどに部品の製作を依頼することになります。

その段階でも三次元で設計したデータを二次元に変換する必要が生じます。多くのジョブショップはCADやCAMには対応していないからです。下請けのジョブショップなどがこうした投資をしてこなかったことも、デジタルへ完全移行できない理由の1つになっています。

一般的なCADは1ライセンスで100万円～1千万円ほどします。CAMも1ライセンス数百万円レベルです。1ライセンスというのは、1人の担当者が1台のパソコンでそのソフトの使用が認められる権利のことです。パソコンのように1台買えばみんなが使えるわけではないということです。複数の人間が情報交換しようとすれば複数のライセンスが必要になります。それだけ多額の資金が必要になるわけです。

ジョブショップの利益率は高くないので、先行投資をする余力はなかなか蓄えられません。長期的な考え方ができなくなるほど、目先のことで手いっぱいになっている場合が多いものです。ひと括《くく》りに語れることではないにしても、日本の製造業はそういう道を歩んできており、抜け出せずにいるのです。


少し話は変わりますが、トヨタのようなレベルの企業は当然、設計や解析にCADを使っています。高機能な分、高価格になるハイエンドCADと呼ばれるものです。Dassault Systèmes（ダッソー・システムズ）のCATIAなどがそうです。CATIAであれば1ライセンスあたり500万円くらいします。

トヨタの部品加工を請け負うジョブショップにもCADを導入する必要が出てきますが、CATIAを導入するのはさすがに難しいようです。そのため、グレードの低いCADシステムを使う場合が多くなります。すると、CATIAのデータをそのまま読み込むことができなくなります。

中間ファイルにデータを変換して情報をやり取りしますが、100%そのままの情報ではなくなり、抜け落ちてしまう情報も出てきます。

Windonsなどでも、古いバージョンのものを使っていれば、最新のバージョンで作成したデータファイルを開けないことがあります。互換性のあるファイル形式でやり取りすれば開けられても、サポートされない機能が出てきます。

今後、改善策が考えられていくのでしょうが、これまでに限っていえば、デジタルの利点を消し去るような運用がなされている部分が多かったのは事実です。

■「ものづくり白書」に見る現実

経産省がまとめている「ものづくり白書」２０２０年版の中の資料で、日本の製造業では「バーチャル・エンジニアリングが進んでいない」ことが課題として挙げられていました。

設計方法に関する調査結果も出ていました。三次元（３Ｄ）で設計しているか、二次元（２Ｄ）で設計しているかが集計されたのです。

結果を見れば……。

3Dデータでの設計を行っているのは17・0%。

3Dデータ及び2Dデータでの設計が44・3%。

2Dデータでの設計が26・5%。

設計に関してはデータ化していないが12・2%となっていました。

協力企業への設計指示の方法も調査されていました。

3Dデータが15・7%。

2Dデータが23・8%。

図面が54・3%。

その他が6・2%。

過半数が図面でやり取りしている実態が浮き彫りになったのです。

図3の通り、2Dデータや図面で設計指示している理由も調査されていました。

「主な設計手法は2D/図面のため」が51・7%。

図3　2Dデータや図面で設計指示している理由

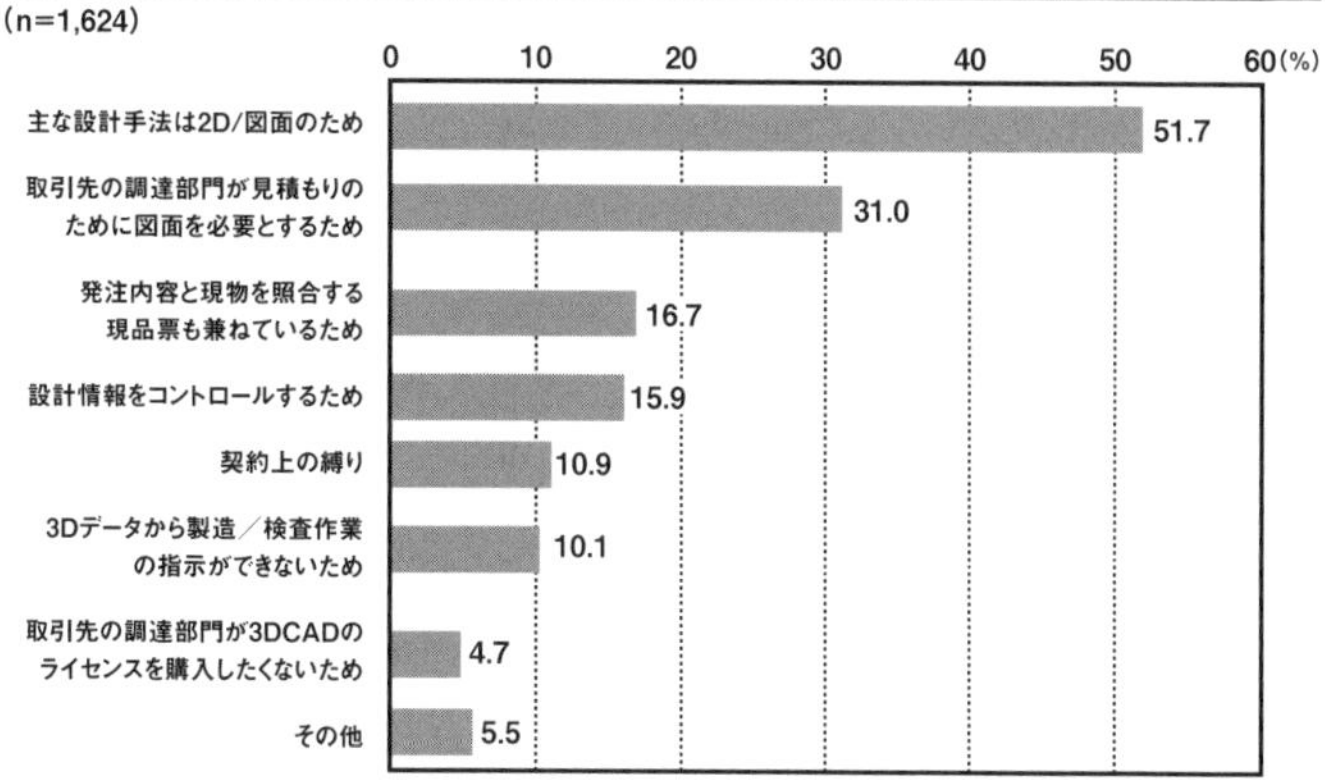

出典:三菱UJFリサーチ&コンサルティング(株)「我が国ものづくり産業の課題と対応の方向性に関する調査」(2019年12月)

「取引先の調達部門が見積もりのために図面を必要とするため」が31・0%。

「発注内容と現物を照合する現品票も兼ねているため」が16・7%。

「設計情報をコントロールするため」が15・9%。

「契約上の縛り」が10・9%。

「3Dデータから製造／検査作業の指示ができないため」が10・1%。

「取引先の調達部門が3DCADのライセンスを購入したくないため」が4・7%。

「その他」が5・5%です。

3Dメインで設計している会社は20%に満たず、2Dメインの運用になっている会社が半数を超えています。

3Dに完全移行できない理由も現実的なものが多く、いかに現場のデジタル化が難しいかがわかります。しかし、この部分を変えていかない限り、日本の製造業は世界に遅れをとっていく一方になります。

■工場で機械が稼働しているのは10時間のうち2時間?

日本の製造業には培ってきた基礎技術があるにもかかわらず、装置などで利用される多品種少量の部品の加工などを請け負っている工場の生産効率は低いと言わざるを得ません。

加工メーカーであれば、できるだけ長く機械を動かし、金属を削るなどの実作業をしたいのは当然です。

単純化して言えば、10時間、工場を開けているなら、10時間、工作機械を動かし続け、なるべく多くの製品を造れるなら、それに越したことはありません。

現実として、部品加工の工場などで工作機械を動かせているのが全体時間のどのくらいなのかといえば、10%台後半に過ぎません。

10時間、工場を開けているなら2時間弱ということです。

それではなかなか利益につなげられません。

なぜ10%台後半しか工作機械を動かせないのかといえば、準備段階に時間がかかるからです。二次元の図面を渡された後、機械をどのように動かせばいいかを割り出し、Gコードを作成してそれを手打ちしていくにはかなりの手間がかかります。

毎日2時間しか機械を動かせないわけではなくても、全体の時間配分を見てみれば、それくらいの割合になってしまうのです。

同じ部品1つをずっと造り続けているメーカーはないので、注文を受けるたびにGコードを作成するところから始める必要があります。

積み重ねによって10%台後半という稼働率になってしまうわけです。

CADとCAMがあれば2、3分でやれることでも、アナログから抜け出せないため、途方もない時間が使われているのが現実です。

ジョブショップなどでも、思いきってCADやCAMの導入に踏み切り、「今後はCADのデータを扱う仕事しかやりません」と断言してしまうことも不可能ではないはずです。しかし、ほとんどの工場はそうしてこなかったのが現実です。既存の得意先と既存の商流でやってきて、現在に至っているのです。

POINT

□CADで作成した三次元データを二次元の図面に落とし込むという合理性に欠いたやり方が日本の現場ではまかり通っている
□デジタル化を進めないと、生産効率はあげられない

■二次元で止まっている日本と、三次元が常識の中国

いまだ二次元データを運用していることが多い日本に対して中国はどうでしょうか？

中国では早い段階からデータは三次元で扱うことが当たり前のようになっていました。

そのため、仮に中国で「三次元のデータを二次元の図面にしたい」といった相談をすれば、「どうしてそんな必要があるのか!?」とビックリされるだろうと予想されます。

実際にできる人を見つけるのも難しいはずなので、もし引き受けてもらえたとしても相当な料金が発生するのではないかと考えられます。

中国では三次元が当たり前になっているだけではありません。CADデータを最大限生かしていくための工作機械を独自開発するようにもなっています。

なかでも脅威が感じられるのは北京精彫というメーカーです。

名前を聞いたことがない人のほうが多いかもしれませんが、これから一気に知られて

いく可能性は高いはずです。

北京精彫では機械本体だけでなく、自社開発したＣＡＭソフトと連携可能なＣＮＣ装置も自社で造っています。

北京精彫が開発して販売している工作機械のなかでもとくに注目されるのは５軸のマシニングセンタです。

マシニングセンタとは、フライス削りや穴開けなどさまざまな切削加工を行う工作機械です。ＡＴＣ（Automatic Tool Changer）と呼ばれる自動工具交換機能があり、作業内容に合わせて、機械内で工具が自動交換されます。

北京精彫のマシニングセンタは２０２２年に東京で開催された「日本国際工作機械見本市（ＪＩＭＴＯＦ）」にも出展されていて、生タマゴの表面にロゴマークを彫りつけるデモを行っていました。

タマゴの殻にはヒビも入らず、彫られたロゴマークも見事なもので、微細加工の精度がいかに高いかが示されました。

５軸のマシニングセンタは日本製なら４５００万円するのに対し、北京精彫では同じくらいのスペックで３０００万円くらいで販売されています。

価格から見てその程度の製品なのだろうと軽視するのは誤りです。

このマシニングセンタの加工フローを簡単に解説すると……。

CADの三次元データにもとづいてCAMが機械の作業経路を導き出します。CNCを動かすためのデータに変換して、調整を加えたうえで加工を始めます。

革新的なのは、その後に機械内部で三次元測定を行い、CADのデータと差異があれば、誤差分をどうすればいいかをCAMが自動算出して、さらに加工していくことです。それによってCADデータとの誤差がない完成品が仕上げられます。

日本の工場ではマシニングセンタで加工したワーク（製造物）を他の施設に移し、三次元測定メーカーに測定してもらったうえで調整する方法がとられる場合が多いものです。その手間が省かれ、1台の機械ですべてをやってしまえるわけです。

日本の場合、工作機械メーカーは工作機械を造り、CADやCAMなどはそれぞれ別の会社が販売しているように加工の工程が分断されているケースがほとんどです。しかし北京精彫は、すべてを自社で開発しているため、一気通貫が実現したのでしょう。

中国からこうしたメーカーが出てきたことにも気づいていないとすれば、その時点で問題です。

ドイツでも中国でも、これだけ自動化が進んでいます。それにもかかわらず、日本の工場ではいまだにGコードをポチポチと手打ちしているわけなのです。

日本の工場のデジタル化はそれだけ遅れてしまっているということです。

■日本の製品もすぐれているが……

日本の場合、個別最適化を進めた結果として技術統合が難しくなったと言えます。

ただし、個々の機械を見ていけば、負けてばかりいるわけではないのも知っておいてほしいところです。

たとえば、ヤマザキマザックが出しているCNC装置のマザトロールなどは非常に優秀なものです。

マザトロールは、マシニングセンタなどの切削機械をコントロールするための装置です。目的に応じて最適な切断速度や回転速度などが計算されます。

独自のAIが搭載されているので、CADデータがあれば、作業プログラムは自動生成されます。

切削を始める前にデジタルツインでシミュレーションも行えるので、必要な工具や時間などがわかり、異常箇所があれば、事前に検知されます。

マザトロールを使用すれば、一部旧式のマシニングセンタでも、ソフトウェアをアップグレードして、CADと連携した切削が可能になります。

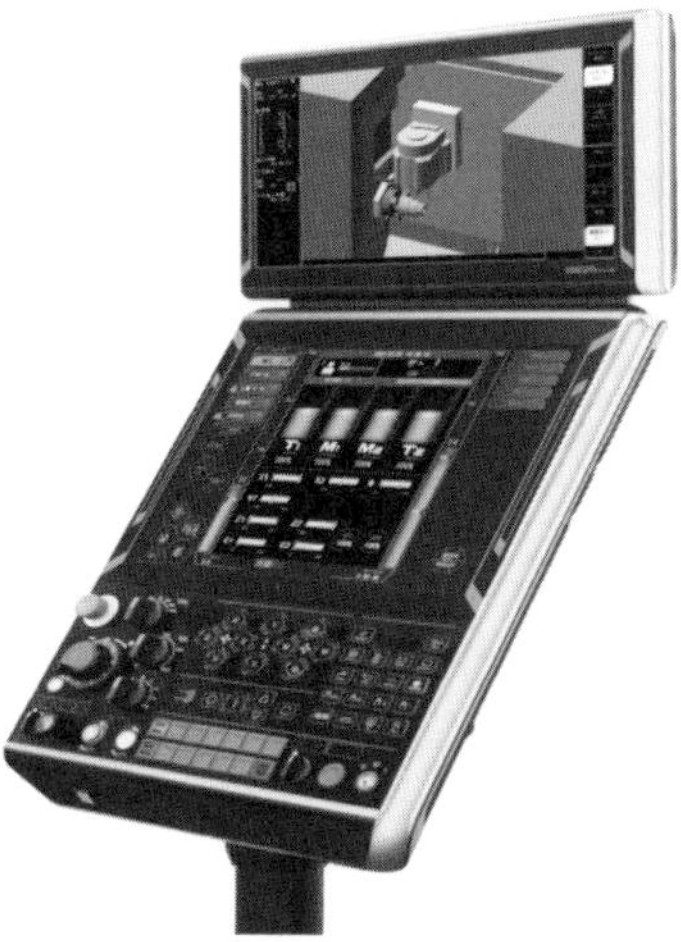

切削機械をコントロールするマザトロール
（ヤマザキマザック提供）

ジョブショップなどがマザトロールを導入すれば、圧倒的に作業効率があがるのは間違いありません。

それにもかかわらず導入している工場は多くはありません。

どうしてなのでしょうか？

CADデータがなければ、機能を生かすことができないからです。

それが日本の現実です。

■イノベーションのジレンマ

日本と中国では、どうして差がつくことになったのでしょうか？

中国の製造業は2000年代になって急速に発展したので、二次元の時代をほとんど通過しないで三次元の時代に入ったことも関係しているのかもしれません。

逆に日本は二次元でやってきた期間が長かったのです。

「これまで二次元でやってこられたのだから」ということで三次元に移行する必要性を感じにくいのではないかとも考えられます。

とくに企業それぞれでトップの人間がそういう思い込みを持ってしまっていると改革が難しくなります。最新の技術を知る若いスタッフが三次元に移行する必要性を説いたとしても、聞き入れてはもらえないからです。

いわゆる〝イノベーションのジレンマ〟もあるのでしょう。

過去の資産、ルールを放棄することができず、新しいイノベーションを軽視する。そのため新興勢力に遅れをとってしまいます。

果たして今後、日本の製造業が再浮上していく可能性はあるのでしょうか？

デンソーのようなメガサプライヤーはもちろん、Tier 2、Tier 3の現場でも、三次元データを前提とした運用に移行できたなら希望は持てます。

2023年にトヨタ自動車は、自社で使用する装置や装置部品を製造するサプライヤーに対して、今後スピードをあげて「2D図面レス」に本格的に取り組んでいく意向を示しました。二次元データの受け渡しをやめて三次元データを中心に運用していくということです。

トヨタがこうした方針を打ち出せば、Tier 1、Tier 2などは変革せざるを得なくなります。

遅すぎた感も強いとはいえ、一筋の光明が見える大きな転換と意思表明でした。

ここからいかに改革のスピードをあげていけるかが問われます。

EV業界でいえば、たとえばテスラが二次元データを軸として運用することは考えにくいと思います。

中国もそうです。今後、CADデータをうまく利用して、ムダのないマニュファクチャリングを構築していけば、中国製EVの価格はますます下がっていくことになるでしょう。そうなったときにトヨタや日産は戦っていけるのでしょうか!?

不安がぬぐえない状況になっているのが現在です。

改革を行うにはギリギリのタイミングになっているのは間違いありません。

POINT

□中国の工作機械メーカーも驚異的な進歩を遂げている

□日本にも素晴らしい技術があるのに、過去の遺産を手放せずにいるため、効率化が進まない

第5章

台湾Foxconn台頭の脅威

■桁違いな製造力を誇るFoxconn

電子立国と呼ばれた日本は、かつての栄光が嘘だったかのように凋落《ちょうらく》してしまいました。得意分野でシェアを奪われ、買収される企業までが出ています。

理由は分析できます。分析できるにもかかわらず、トップたちがそこに気づかなかった。そのことが敗因だったと言ってもいいでしょう。自分たちでは気がつかないうちに負けて当たり前の戦いに挑んでいるかたちになっていたのです。

ポイントはいくつか挙げられますが、台湾のFoxconn（フォックスコン／鴻海精密工業）の台頭が大きかったのは確かです。

Foxconnは iPhone などの受託生産をしていることでも知られる企業です。２０２２年の売上げは６兆６２６９億台湾ドルでした。1台湾ドル＝４・５円として約30兆円です。

トヨタの２０２２年度決算における売上げが約37兆円です。Foxconnは「アッセンブリ（組み立て）の代行」というビジネスモデルによってそれに近い売上げを出しているのですから驚嘆に値します。

iPhoneだけでなく、任天堂のSwitchやソニーのPlay Station、Dellやヒューレット・パッカードなどの組立てやパーツ供給も請け負っています。

Foxconnの成功は、ニアリーイコール日本の電子産業の敗北と言っていいのではないかと思います。

Foxconnの生産力は桁《けた》違いです。

中国河南《かなん》省にある鄭州《ていしゅう》工場の従業員数は約30万人です。

デンソーの巨大工場（西尾《にしお》工場）でも従業員数は約７０００人なので、規模が違います。秋田市の人口が30万人くらいなので、秋田市民が老若男女を問わずに全員、１つの工場に勤務しているイメージです。

物量にも圧倒されます。１台数千万円する牧野フライス製作所のマシニングセンタを４０００台以上、数百万円のファナックのロボドリルを10万台以上導入しています。

鄭州工場では１日最大50万台のiPhoneを製造しています。

かつては携帯電話の「ＮＯＫＩＡ３３１０」だけで１億３０００万台製造しました。

NOKIA3310は「レンガ」という愛称でも知られる大ヒット商品です。世界人口から考えれば50人に1人に近いくらいの割合でこのモデルを持っていた計算になります。

それだけの台数を製造しようとすれば、さすがに1つの金型だけでは間に合わないので、最大50セットくらいの金型を造ることになります。

日本の現場であれば、前章でも解説したようにGコードを算出して、ポチポチと手打ちしていくことになりますが……、50セットのすべてをまったく同じ金型にすることはできません。

金型が違えば、当然、射出成型されたワーク（製造物）にも違いが出てきます。

従来のようなアナログなやり方で、一定期間のうちに1億3000万台製造するのは不可能ですが、それ以前の問題として、製品にばらつきがあっては認められるはずがありません。

Foxconnも最初のうちは日本と同じようなやり方で、カンコツ（勘とコツ＝熟練の技術）に頼った作業をしていたようです。それでは金型のすべてを同じものにはできず、カバーの品質にばらつきがあることを指摘されたそうです。

Foxconnとしては一大顧客を失うわけにはいかず、いっそうの大量生産を可能にするため〝デジタルによるものづくり〟を推し進めていきました。そして実現したのがNOKIA3310の1億3000万台製造です。

■Foxconnの「金型革命」

Foxconnは、設計からワークを削るまでを完全につなげることを目指しました。ワークは、モールドと呼ばれる金型を射出成型機にセットして、樹脂を注入し、押し出すことで造られます。モールドはかなり複雑なもので、精度がそのままワークに転写されます。そうして造られる複雑な部品のひとつひとつを寸分の狂いもないものにしなければならないわけです。

鍵《かぎ》を握るのはモールド＝金型なので、設計に時間がかかるのは当然でした。

しかしFoxconnは、CADモデルがあれば金型設計の95％が自動で行われるシステムを構築しました。

日本では設計に1か月ほどかかるところ、Foxconnでは金型の設計にかけていい時間は最大で8時間だといいます。

片や1か月、片や8時間です。

その差は大きすぎるものです。

日本の製作現場の人たちがまだ設計にとりかかることもなくカタログなどを見ているうちに設計が終了していることになるのです。


Foxconnのシステムでは、金型設計が短時間で済まされるだけではありません。CADモデルがあれば、必要な部品までが自動で選定されます。

シミュレーションもできるので、金型の中で樹脂がどのように広がっていくかというCAE解析も行われます。

シミュレーションからは試験成績書も自動で出力されます。英語、中国語、日本語、ドイツ語に対応しているので、どこにでもそのまま提出できるものです。

ダッソー・システムズのソリッドワークスやSiemensのNXなどにも対応しているので、簡単な切削物であれば、CADデータによってこうした機械を動かすための加工パスはわずか3分で自動生成されます。

ＣＭＭマシン（三次元測定機）にかけるための測定パスも自動生成され、人に頼らず自動測定が行われます。

従来は1つずつワークを加工していたのに、Foxconn のシステムでは違います。ＲＦＩＤという自動認識技術を使い、位置情報を認識してロボドリルに情報を伝えることで12個を一挙に製造することができるのです。

現場を知らない人にはピンとこないかもしれませんが、人の技をほぼ必要としないで、安定した品質の製品を驚きの速さで造っていけるようにしたということです。

■日本にも存在していた「伝説の金型メーカー」

実をいうと、Foxconn より早く金型製作に革命を起こした日本の会社がありました。インクスという伝説の金型メーカーです。

インクスの設立は１９９０年です。96年から高速金型試作の研究を開始して、98年頃にビジネス化に成功しました。この年には高速金型センターも開設しています。

当時は2、3か月おきくらいの早さでガラケーの新型モデルが出ていたので、そのたび金型を造る必要がありました。

スピード勝負になっていたわけです。

インクスでも、コンピュータがすべてを設計し、機械が自動で金型を造ってくれるシステムを開発しました。

開発に成功したインクスは、飛ぶ鳥を落とす勢いになりました。

千葉県船橋市の貸工場の2階で創業した会社だったのに、98年には西新宿《にししんじゅく》に新しく建てられた東京オペラシティビルの最上階に本社を構えるほどになったのです（その後はさらに丸の内《まるのうち》に建てられたビルの最上階に移転しています）。

しかしインクスは、2009年に民事再生法を申請して倒産してしまいました。

理由はいくつか挙げられますが、Foxconn の市場戦略に敗れた部分もあったのではないかという気がします。それまでの得意先の多くを取られてしまっていたからです。

インクスが好調だった頃、Foxconn の技術者がインクスを視察しており、インクスの側では惜しみなく技術を公開したとも聞いています。その後、Foxconn はさらに技術を発達させていきました。

Foxconnが躍進を遂げる一方で、多くの日本の現場では、昔ながらの金型造りが続けられていくことになったのです。

日本がインクスの技術を守り続けられなかったことは、非常に残念なことでした。

■スピードのある者には利益が残り、スピードのない者には在庫が残る

インクスや日本の企業にとっては憎い面もあるかもしれませんが、Foxconnはすごい会社です。

創業者の郭台銘《かくたいめい》（テリー・ゴウ）は日本で最も有名な台湾人の1人です。

「成功する人は方法を探し、失敗する人は理由を探す」が口癖だそうです。

「スピードのある者には利益が残り、スピードのない者には在庫が残る」

このような考え方を徹底してFoxconnを育てました。

Foxconnの「FOX」は金型（Foxcavity）の略で、「CONN」はコネクター（connector）を意味します。

テリー・ゴウは「金型は工業の母」とも言っていたのですから、製造業を左右するの

が金型だという信念がいかに強かったかがわかります。

Foxconnが携帯電話の受託製造を開始したのは2000年です。

その後すぐにデジタル化を図り、翌2001年には受注を受けてから製品を出荷するまでの平均日数を27・3日にまで縮めました。

従来と比べれば驚異的なスピードです。

従来のやり方では金型の設計に1か月、金型が完成するまでには設計から2か月かかります。

日本の企業であればまだ製品の製造にとりかかることもできずにいるうちに、Foxconnでは出荷を終えて、次の製品にとりかかっていることになります。

今はFoxconnを退社していますが、テリー・ゴウ直属の部下だった謝尚亨（ジェリー）という人がこの自動化システムをつくりあげ、その後10年がかりでどんな工場にも同じシステムを導入できるように〝仕組み化〟してしまいました。

■驚異のシステム「CIMFORCE」

ジェリーはFoxconnを退社後、構築したシステムをより多くの企業に広めるため、「CIMFORCE（シムフォース／上博科技）」という会社を設立し、他社に提供するようになりました。

CIMFORCEがすごいのは、旧態依然としたやり方を続けている中小メーカーにも対応していることです。

まずソフトを導入して、順を追ってロボットを導入するなど、自動化のレベルを上げていくこともでき、工場の規模を問わずに機械同士をつなげていけます。

CIMFORCEの仕組みではロボドリル50台につくオペレーターがたったの4人で済みます。これまでの現場では、工作機械それぞれに担当者1人がつくのが普通だったのですからコスト差は歴然としています。

CIMFORCEでは、工作機械の種類を問わず、1つのソフトウェアで、工場ごと、ラインごとに制御します。

そのうえ切削工具それぞれも工場全体で管理しているので、切削工具の寿命なども見える化されます。取り換えが必要になればそれもロボットが行い、作業内容は新しい機械にトレースされます。

ある中国の工場では46メートルのラインに工作機械をずらりと並べて、金型の製造を行っていました。ラインの担当者はたった6人です。スケジュール管理も一括で行っているので、こうしたラインを24時間稼働させることも可能です。

コロナ禍の時には遠隔で動かすラインを1週間で立ち上げたケースもあったそうです。CIMFORCEのサービスを利用すれば、日本の工場でも同じシステムを導入できますが、どのくらいの工場が導入に踏み切るものでしょうか……。

日本の製造業者はこうしたノウハウが生み出す驚異的な生産力と戦っていく必要があるのです。

■日本が失った生産価値は50兆円！

携帯電話のような商品はいかに早く市場に出せるかが勝負の分かれ目になります。ガラケーの時代もスマホの時代もそれは変わりません。Foxconnが自動化システムをつくりあげた時点で、日本は〝勝てない勝負〟に挑んでいたと見ることもできます。

トヨタはTPSという生産管理システムによって製造業に時間戦略をもたらしました。Foxconnは製造業の要《かなめ》である金型に時間戦略を持ち込みました。その結果として世界を制してしまったのです。

2000年当時、電子立国と呼ばれていた日本の電子産業の国内生産金額は26兆円規模になっていました。この頃までは、ヨーロッパに行けば、東芝、パナソニック、日立、シャープの液晶テレビなどが店頭に並んでいて、Samsungなど韓国製の電化製品は隅に追いやられていました。

やがて状況は逆転し、Samsungの知名度のほうが欧米では高くなりました。Samsungに限らず、韓国や中国のメーカーは世界市場を席巻しました。

2000年から先、日本のメーカーの売上げはみるみる下落していき、凋落の一途をたどっていったのです。

２０１１年には貿易収支が赤字に転落しました。携帯電話でいえば、ガラケーからスマホへの過渡期に当たります（iPhoneが発売されたのは２００７年でしたが、この頃からスマホの一般普及率は急速に伸びていきました）。


スマホのような電子機器を輸出するのではなく輸入するという状況を迎えることを予想していた日本人はいたでしょうか。

以前は10社以上の日本のメーカーが携帯電話の製造・販売をしていたのに、現在ではソニーだけになっているのですから、勝敗は明らかです。日本メーカーのスマホにしても、ほとんどはメイドインチャイナかメイドインベトナムになっています。

こうした動きのなかで日本が失った生産価値（電子機器の生産を日本で行った場合に比べて）は50兆円になるとも言われています。

そのうえで日本の電気大手8社の一角を占めていたシャープがFoxconnに買収されるというまさかの事態までが起きてしまったわけです。

POINT

- □日本では1か月ほどかかる金型設計が、Foxconnでは8時間以内で済まされる
- □Foxconnの台頭などがあり、日本は50兆円の生産価値を失った

■工作機械は世界を動かし、経済を左右する

ここでもう一度、〝工作機械とは何か〟ということを確認しておきたいと思います。

機械を造る機械という意味でマザーマシンとも呼ばれます。

工作機械の精度はすなわちワークの精度になります。

工作機械がすぐれているかどうかによって装置や製品の精度が決まってくるということです。

40年近く前の話になりますが、昭和62年（1987年）には「ココム違反事件」が起きて、世界が騒然としました。

冷戦時代に東芝機械が、高性能の工作機械とその機械を制御する装置やソフトウェアをソビエト連邦技術機械輸入公団へ輸出してしまったのです。

何が問題なのかといえば、ソ連の潜水艦技術を進歩させかねないことです。

東芝が輸出した工作機械を使って静音性にすぐれたスクリューを造れば、アメリカの

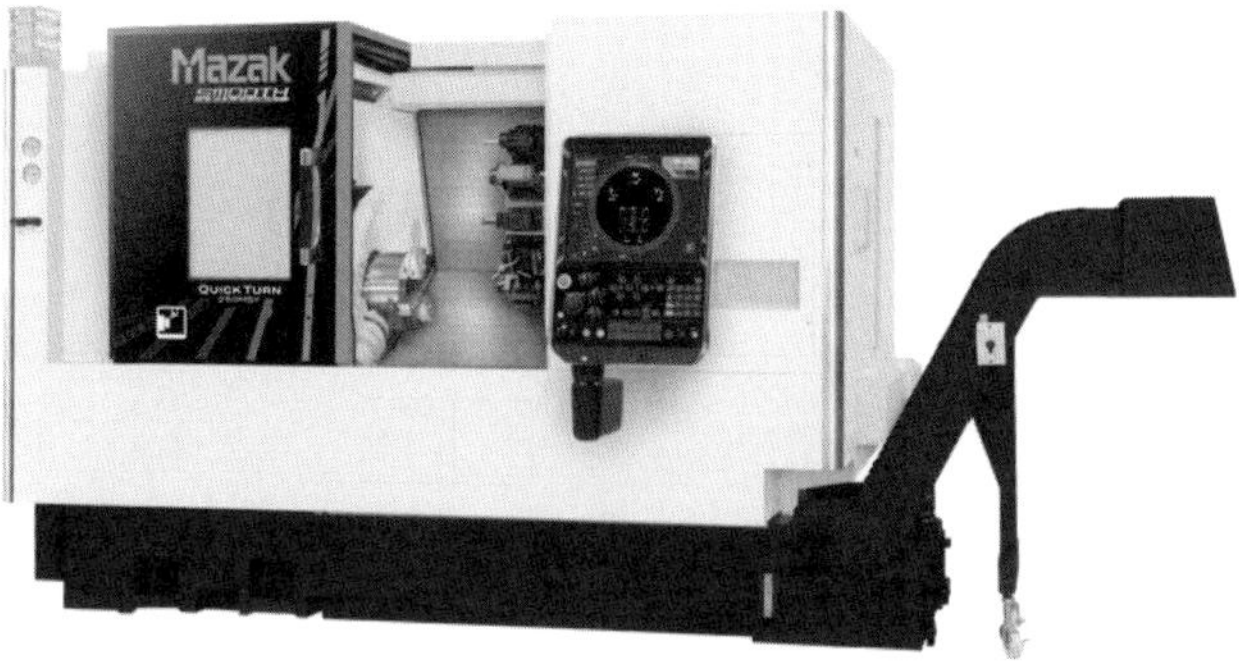

最新の工作機械である QUICK TURN（ヤマザキマザック提供）

ソナーをかいくぐって潜水艦が運航できるようになることもあり得ます。

「ココム（COCOM）＝対共産圏輸出統制委員会」が禁止している輸出にあたるとしてアメリカは激怒しました。アメリカは東芝グループの製品すべてを輸入禁止にするなどして、国際問題にも発展しました。

それだけ工作機械の性能がその他の製品に及ぼす影響は大きいわけです。

工作機械の性能では、もともと日本はアメリカやヨーロッパに勝てずにいました。しかし、NC（Numerical Control ＝数値制御）という自動化技術をミックスさせることで日本は躍進を果たしました。

コンピュータによる自動化はCNC（Computer Numerical Control＝コンピュータ数値制御）と呼ばれます。NCとCNCはおよそ同じものと考えてもらっても構いません。かつてのNCはコンピュータを使わず機械を制御していましたが、今はコンピュータが搭載されていても、当時の名残りからNC装置と呼ばれることがあります。

現在、工作機械を最も多く生産しているのは中国で（全体の約30％）、日本はドイツと2位争いをしている状況です（日本の生産額は全体の約13％）。

ただし、中国は工作機械の国内消費率も高いのに対して、日本はそうでもありません。国内消費率は高くなく、輸出している比率が高くなっているのです。

日本の機械メーカーはそれだけのポジションを確立してきたわけですが、中国からは前述した北京精彫のような強力なメーカーも登場してきました。今後、日本がこれまでのようなポジションをキープできるかはわからなくなっています。

工作機械の分野で中国が席巻してくれば、金型の生産にも影響が及びます。

日本の金型メーカーは牧野フライス製作所の工作機械を使うことが多かったのですが、

今後は中国勢にシェアを奪われてしまう可能性もあります。

金型の生産そのものも、これからどうなっていくかはわかりません。

現在、金型の生産量で日本は3位につけているものの（1位は中国で、2位はアメリカ）、シェアが落ちていくこともあり得ます。

金型造りは、地味な産業と見られがちだとはいえ、ビジネスとしての規模が小さいわけではありません。

東南アジアなどがますます経済発展していけば、金型の需要が高まっていくことになります。

生産が難しい付加価値のある金型はとくにそうです。

これからどんどん需要は高まっていくはずなのに、その市場で日本はどこまで戦っていけるでしょうか……。

自信を持てていたはずの電子産業で惨敗を喫してしまったのに続いて、工作機械、金型といった分野においても、今の地位を守っていけるかはわからなくなっています。日本の製造業は戦っていける分野をなくしてしまうことさえ考えられるのです。

製造業に携わっている人はもちろん、そうではない人も、今の日本がこうした危機的状況にあることはよく理解しておいてほしいところです。

POINT

□工作機械の精度はすなわちワークの精度になる

□工作機械の輸出もビジネスとして大きい

□工作機械や金型産業で、今のシェアを守れるかわからない

■Dellという黒船

電子産業に話を戻します。

かつて日本の電気大手8社はすべてノートパソコンを製造していましたが、この市場もほぼ外資に飲み込まれてしまいました。

2020年段階で、世界市場に出ているノートパソコンの9割は台湾、中国で生産されるようになっています。

日本のパソコンメーカーは次々に中国資本の傘下に入るようにもなりました。

2011年にNECのパソコン事業は分離して、中国のLenovo（レノボ）との合弁会社をつくりました。このとき、NECのパソコン事業は事実上、Lenovoの傘下に入ったと言えます。

2017年には富士通です。富士通のパソコン事業を担う富士通クライアントコンピューティングはやはりLenovoとの合弁会社を設立しています。

東芝はダイナブック製造の部門をシャープに売却して、以後はシャープの子会社であるDynabook株式会社が製造販売を行うようになりました。そのシャープも2016年に Foxconn に買収されていました。

パナソニックのレッツノートなどは現在も頑張っているものの、日本のメーカー全体で見れば、壊滅的な状況になっています。


日本のメーカーが負けた理由は2つ挙げられます。

1つはものづくり。

CADを軸に据えたものづくりに移行できていなかったためです。

とくにインクスの技術を継承するような判断を、どこの企業もできなかったことが、日本にとっては大きな痛手でした。

もう1つの理由は、ビジネスモデルです。

受託製造に特化した生産力の差でやられたことが大きかったのですが、それだけではありません。

バリューチェーンの変化を見定めることができなかったことが致命傷になりました。

バリューチェーンは「価値連鎖」と訳されます。

開発、製造、流通、販売、保守といった活動を価値創造のための一連の流れとして捉《とら》えるものです。

たとえばパナソニックは、開発、製造、販売をすべて自分たちで行っていました。全国の町にナショナルショップ（現、パナソニックショップ）があった頃がそうです。しかし、いつまでもそんな状況は続きませんでした。

家電製品は、町中のお店ではなく、ヨドバシカメラやヤマダ電機などの量販店チェーンで買うのが主流になっていったのです。

パソコンのＯＳやＣＰＵなども、かつてはメーカー各社が造っていたのに、ＯＳではWindowsやMac、ＣＰＵではインテルが市場を独占することになりました。

既存の枠組みが崩れて新しい流れができるデコンストラクションが起きたのです。

また、１９９０年台後半に登場してきたのがデル・モデルです。

Dell Technologies（デル・テクノロジーズ）はアメリカの企業です。当時の日本のパソコンメーカーにとっては〝黒船〟と言える存在ではないかと思います。

日本のパソコンメーカーは、ほとんど使われることのないアプリケーションを数多く積んだ自社ブランド商品を製造し、ヨドバシカメラなどの量販店を中心に出荷していくのがお決まりでした。夏モデル、冬モデルというようにニューモデルを定期的に出していたので、型遅れになった商品は割引販売され、利益率が落ちます。

受注から生産までのリードタイムも1か月半から4か月くらい必要だったので、商品が店頭に並べられる頃には最新スペックとは言えなくなっている場合もありました。

そんな中、Dellはユーザーそれぞれが求める仕様に合わせたパソコンを製造して納品する「受注生産」を始めました。

BTO（Built to Order）によるジャストインタイムを実現したわけです。

■分析力で惨敗

Dell型の商法では、店頭ではなくネットや新聞広告などで集客して、よく売れるタイプの商品に使われる部品に関しては、ある程度ストックしておきます。

空港の近くに工場を建てて空輸するようにしたので、受注生産でありながら、納品までの期間も一気に短縮しました。

日本のパソコンメーカーの製造から納品が１１５日ほどだったなかで、４日から11日ほどで納品できるようになったのです。

Dellのパソコンは必要のないアプリケーションを積んでいないので、シンプルで使い勝手がよく、思い通りのスペックで構成できます。同じレベルのスペックであれば断然、日本製より価格は安くなります。

ＢＴＯというビジネスモデルの破壊力に気づかず、日本のメーカーは従来どおりの店頭販売を続けて敗北したわけです。

Dellはトヨタと同じようなやり方を取り入れて成功したのに、日本のメーカーはトヨタ式の生産方法を自動車以外の産業には応用してこなかった。

そうしたところに敗北の原因を見つけることができます。

どこかの段階でバリューチェーンにデコンストラクションが起きていることに気づいて対策を練るべきだったのに、それができなかったのです。

今の日本にはバリューチェーンやデコンストラクションという言葉を知らない人も多いようです。

負けた理由の分析ができなかったというか、しようともしなかったように見えます。物事を突きつめて理解しようとせずにやってきたことが招いてしまった残念な結果です。

さらに残念なことは、この生産システムやビジネスモデルを開発したのに、それらを海外から学ばれ、あらゆるビジネスに最適化され、逆襲され、負けたのが日本人です。その構造自体に大部分の日本人が気づくことができていないという悲惨な現状があります。

POINT

- □日本のパソコンメーカーが中国資本の傘下に入っていったのは必然だった
- □Dell はトヨタと同じようなやり方を取り入れて成功したのに、日本の企業はそれができなかった

第6章

インダストリー4.0と日本の製造現場

■それでも、ラダーを書いていきますか？

世界を見渡せば、ものづくりの現場は大きく変化しています。

第4章では日本の製造現場で二次元のデータをやり取りしていることの弊害を解説しました。世界との差は拡大していくばかりです。

「制御」に関してはとくにそうです。

金属を切り出したり、削ったり、銅線を巻いたりするなど、多くの作業は機械が行います。作業内容に応じて、機械に対してどう動いてほしいか、細かく指示を出すことを制御といいます。

CNCというプログラムにGコードを打ち込むのが従来のやり方でした。CADのデータがあり、CAMというプログラムを使えば、多くの作業をコンピュータで代替できることになったのは、すでに解説したとおりです。

従来型のやり方はもう1種類あります。

ＰＬＣ（Programmable Logic Controller）というコントローラに、制御内容のプログラミングを書き込んでいく方法です（ラダーとも表現されます）。

ＣＮＣとＰＬＣでは何が違うのでしょうか？

製造業界の人でなければ細かい部分まで理解してもらう必要はないかと思いますが、対象となる機械ごとにどちらかが選択され、指示できる作業内容にも違いがあります。生産ラインにおいて周辺機器の制御をするにはＰＬＣを用いる場合が多くなります。ただし、ＰＬＣではＣＡＤのデータを使って自動化することはできません。

ＰＬＣは1種類しかないわけではありません。三菱電機のＰＬＣ、オムロンのＰＬＣ、キーエンスのＰＬＣなどさまざまで、それぞれに制御システムが異なります。

もし三菱電機のＰＬＣを使っているなら、三菱電機のＰＬＣ専用の制御プログラムを構築する必要が出てきます。

デファクト・スタンダードによって構築されたやや開かれたパソコン業界とは違い、非常にクローズドな環境になっているわけです。

ヨーロッパでは、制御のあり方がずいぶん変わってきました。

たとえばPhoenix Contact（フエニックス・コンタクト）という電子機器メーカーのPLCが採用しているOSはLinuxです。

少しパソコンに詳しい人ならおわかりだと思います。Linuxは汎用《はんよう》性の高いOSです。Windowsと同じような性質のものなので、OSに合わせた特有のプログラムを考えないで済むようになりました。

クローズドな環境ではなくなってきているわかりやすい例です。


さらに驚かされるのは、制御のプログラムが「PLCnext Store」というオンラインサイトでダウンロードできるようになったことです。

日本では作業内容を変えるたびに、現場ごとに使用しているPLCに合わせたラダーを書き込んでいかなければならなかったのに、このサイトを利用すれば、ダウンロードしたプログラムを入力するだけで済みます。

「GitHub」はご存じでしょうか？

エンジニアなどが自分が開発したプログラムを公開して、他の人たちと共有し、修正を加えるなどしながらプログラムを開発していくプラットフォームです。

GitHubと同じような概念が、製造業における制御の世界にも広がってきたのだと見ることができます。

必要なプログラムをダウンロードすることで制御できるなら、わざわざ手間をかける必要はありません。他の現場と同じプログラムを使うことになっても、抵抗を感じる理由はないはずです。パソコンやiPhoneのアプリにしても、世界中の人たちが同じものを使っています。そのアプリがどういうコードで書かれているかを気にする人はあまりいないと思います。

ラダーを書くのはかなりの時間を要する作業です。制御の規模にもよりますが、数日かかる場合もあり、ラダーを書くことを専門とするエンジニアも存在するほどです。

その作業がカットできるようになったのです。

「それでもなお、ラダーを書いていきますか？」、「コピペで済ませられるならそちらのほうがいいのではないですか」という話にもなってきます。

■制御の世界とも結びついたChatGPT

昔ながらの製造現場で働く日本人には信じられないことだと思います。しかし今、世界的な流れはそういう方向に動いています。

というよりも、向かっているのはさらにその先です。

フランスの電気機器・産業機器メーカーのSchneider Electricなどはとくにそうです。Schneider Electricでは、IEC（International Electrotechnical Commission＝国際電気標準会議）が定める「IEC61499」という規格に準拠したプログラムを作成し、規格に準拠していれば、どのメーカーの機械でも制御できるようにしました。これまでは機械ごとのソフトウェアが求められたのに、その概念を覆してしまったのです。

〝ソフトウェアファースト〟の世界が実現しつつあります。

機械のメーカーが採用するOSに合わせて、そのたびラダーを書かなければならない現場と比べれば、あまりに大きな差がついてきました。

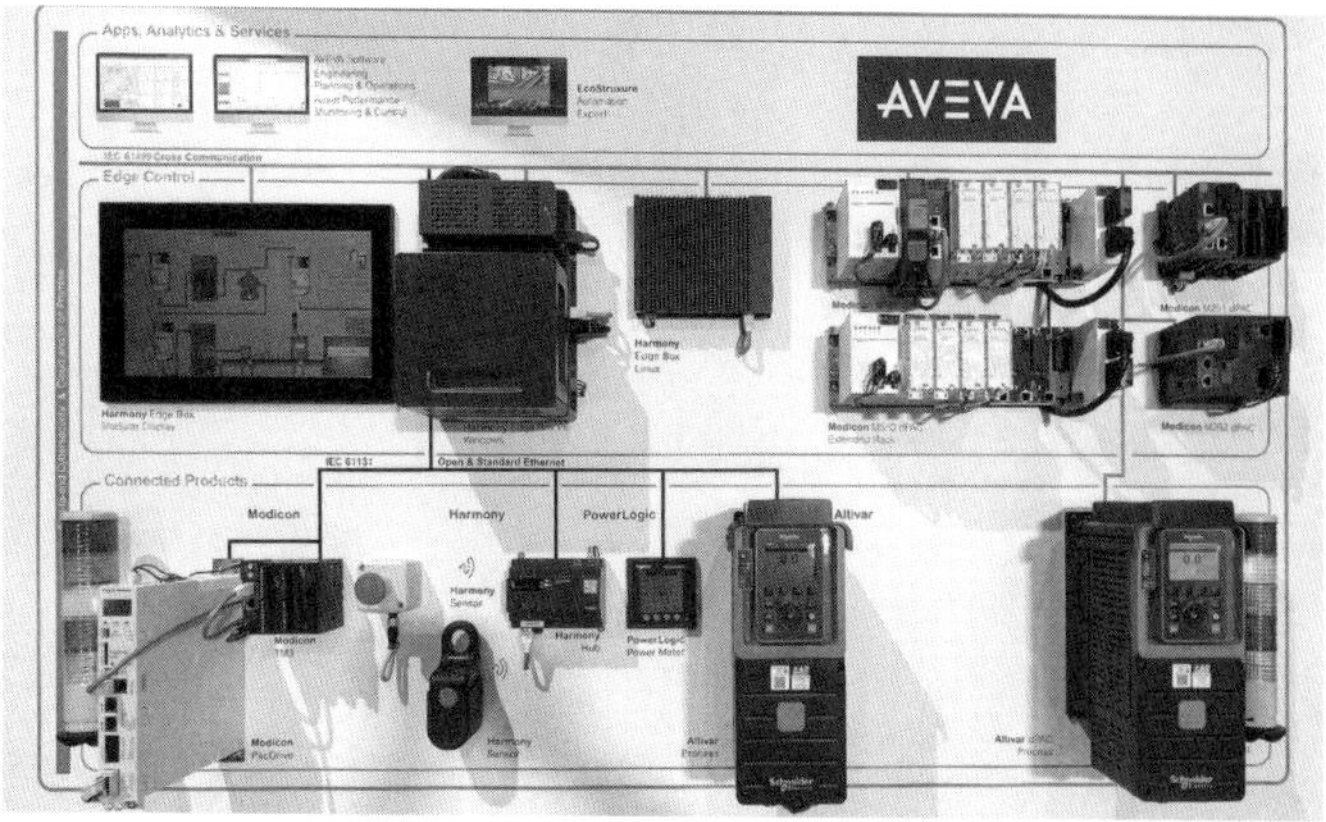

Schneider Electric が IEC61499 仕様を元に開発したソフトウェアで動作する制御システム（著者撮影）

Schneider Electricの場合、CADベースのデジタルツインの中で制御も構築できるような展示もありました。

実際の現場と何も変わるところがない仮想空間でプログラムを構築すれば、最初から作業結果が見えているのと同じです。

現場で調整する必要はなく、手戻り（やり直し）がほとんどなくなるのですから効率的です。

これからはそれが当たり前になっていきます。公開できるものは公開しながら、その先を考えたライブラリをつくっていく流れができています。

制御のオープン化を進めているのは、

Phoenix Contact とSchneider Electricの2社だけではありません。

ドイツのWAGO（ワゴ）のPLCもオープンになっていて、やはりLinuxで構成されています。WAGOは制御の分野で絶大な影響力を持つグローバルカンパニーです。こうなってくると他のメーカーはクローズドな環境のままではいられなくなります。

さらにインパクトが強いのは、Beckhoff Automationという産業用制御機器メーカーが販売しているIPC（産業用パソコン）です。

機能の詳細を記せば専門的な話になるものの、一般的なPLCとは行えることのレベルが違います。PLCでも10基のモーターを制御するくらいはできますが、Beckhoff AutomationのIPCではモーターを1000基、同期してコントロールできます。Beckhoff AutomationのIPCの制御プログラムは、Windowsベースで構築できるので、応用性が非常に高くなっています。

そのうえ第1章でも触れたようにChatGPTを実装してしまいました。

ChatGPTは、製造業の現場に限ったことでなく、さまざまな分野で実際に活用されるようになってきた生成ＡＩです。プログラミングの分野でも、ChatGPTを利用すれば驚異的な時間短縮ができていくようです。

ＡＩがＰＬＣに組み込まれたのですから、可能性は無限大に広がります。

制御プログラムが自動生成されるだけでなく、最適化、リファクタリング（内部構造の整理）、ドキュメント生成（設計書や仕様書などの作成）などが自動で行われることになりました。

今後、ChatGPTに制御を構築させるようなやり方はさまざまなかたちで広がっていくのではないかと予想されます。

世界の製造業はそういう段階に入ってきたということです。

「それでもなお、ラダーを書いていきますか？」と書きましたが、実際のところ、従来型のやり方に固執している状況ではなくなっています。

それにもかかわらず日本の企業はChatGPTなど新技術の導入が遅れています。

製造業界に限ったことではありません。

２０２３年5月にＭＭ総研が実施した「日米企業におけるChatGPT利用動向調査」

では、アメリカの企業の従業員の51%がChatGPTを利用しているのに対して、日本の企業の従業員は7%しか利用していない、という結果が出ていました。

新しい技術や方法を導入することにためらいがちなのが日本人なのかもしれません。これまでとは違った方法を取り入れて機械が誤作動したらどうするのか……といった不安を持つ人も多いのでしょう。

新しい技術を取り入れることを不安がっていたのでは、いつまで経っても生産性を向上させることはできません。

導入をためらっているうちに、どんどん苦しい状況になっていくだけです。

■CADの可能性と、二次元の限界

SiemensやアメリカのPTCと並んで3大CADベンダーといわれるのがフランスのDassault Systèmesです。
Dassault SystèmesのCADシステムでは、たとえば日本とインドなど、遠く離れた場所にいる複数の設計者が同じCADを見ながら、誰がどのような操作をしたかを確認できるようになりました。世界中のさまざまな場所にいる人たちが総がかりで設計を煮詰めていけるようになったということです。

将来的には同じようなやり方で制御を同期しながら設計もできるようになることが予想されます。

実際に前出のPLCnext Storeでもさまざまな議論がなされるようになっています。新しい技術が生まれて、また共有されます。

二次元のデータ運用を続けている限り、こうした潮流に乗っていくことはできません。技術差が広がり、スピード面ではまったく太刀打ちできなくなってしまいます。

日本の製造現場はどうしてこれほどの遅れをとってしまったのでしょうか？

資本力や柔軟性など、さまざまなところに問題があったには違いありません。新しい技術が生まれていることに目を配らず、変化の意味にも気づいていなかったと見ることもできます。ひと言でいえば、理解力が欠如していたということです。

POINT

□制御を構築するたびに、いちいち「ラダー」を書く時代ではなくなった

□欧米では、制御はダウンロードで済まされるように時代が変化している

□AIや新技術の導入をためらっている場合ではない

■〝製造業版App Store〟Cofinity-Xの誕生

日本で製造業の就業者は1000万人以上いますが（2021年で1045万人）、ここまでに書いてきたことは1000万人ほぼすべてが当事者です。

一部の現場を除けば、どこの工場に行ってもGコードをポチポチと手打ちしているか、ラダーを書いているのが当たり前の光景になっています。

厳しい経営状態であるため投資が難しいのはわかります。しかし、〝改革しなければ先がない〟ということはしっかり理解しておく必要があるはずです。

「ハノーファーメッセ」を視察している日本企業は少ないというのも前述したとおりです。ハノーファーメッセは世界最大級の産業見本市であり、ここで示されたトレンドが日本に来るのは5年後だとも言われています。要するに、この先、自分たちが取り入れることになるだろう最先端の技術やソリューションを確認できる場でもあるわけです。

学ぶ姿勢があるなら毎回足を運ぶべきなのに、それがされていません。情報収集に対しても積極的になれていない証左です。

私も視察したハノーファーメッセ2023はとにかくインパクトが強いものでした。とくに驚かされたのは「Cofinity-X」です。

Cofinity-Xは、ドイツのBMW（ビー・エム・ダブリュー）やMercedes-Benz（メルセデス・ベンツ）、Volkswagen（フォルクスワーゲン）、Siemensなど10社が共同設立したコンソーシアムです。

Cofinity-Xには製造業関連の最新のソフトウェアが公開されていて、ダウンロードできるようになっています。

〝製造業版App Store〟と言っていいものです。

Tractus-Xというオープンソースソフトウェアプロジェクトがあり、そこで定義された要件を満たすソフトウェアだけがCofinity-Xで公開されています。そのため、複雑な手続きがなく、必要に応じたソリューションを導入しやすくなっています。

■「競争領域」と「協調領域」の区分

Cofinity-Xを共同設立した10社にはＳＡＰ（エスエーピー）も入っていました。

日本でＳＡＰというと、会計システムの会社というイメージが強いのでしょうが、正しい認識だとは言えません。ＳＡＰは製造業に強いことで知られるヨーロッパ最大級のソフトウェア会社です。

ハノーファーメッセ２０２３でＳＡＰは、カーボンフットプリントを完全に見える化するソフトを公開していました。

たとえば大手自動車メーカーが車を生産したとき、そのメーカーだけでなく、Tier 1、Tier 2、Tier 3……と各サプライヤーがどれだけCO_2を排出しているかをひと目でわかるようにしたものです。

企業同士がＰ２Ｐ（Peer to Peer）でつながっているため、可能になります。

Ｐ２Ｐとは、サーバーを介さず、直接データのやり取りをする通信方式です。企業間にこのようなネットワークができている事実にも驚かされますが、さらに衝撃的だったのはソフトに対する考え方です。

ＳＡＰの担当者から話を聞いたところ、「ＳＡＰのソフトを選んでもらわなくても、Cofinity-Xに公開されているソフトであれば、そのままつなげられます」というのです。

公平でムダがありません。

これだけオープンであれば、資金力に余裕がない中小企業にとってもチャンスです。どうしてかといえば、Cofinity-Xを見れば、「今、どのようなソリューションが展開されているのか」、「大手企業はどういったソリューションを狙っているのか」、「大手がまだ進出していない分野はどこなのか」といったことがわかるからです。

これからでも勝負をかけられそうなニッチな領域を発見できたなら、開発に注力できます。開発に成功した場合は営業をかける必要もありません。

Cofinity-Xに公開しておけば、ダウンロードされるごとにライセンス料を得られるからです。

Cofinity-Xという存在によって「競争領域」と「協調領域」は明確に分けられました。誰にも手をつけられていないグリーンフィールドでの戦いが展開可能になるということです。

逆に言えば、Cofinity-Xの存在を知らなかったり、要件定義を理解していなかったりすれば、理にかなった競争機会を失ってしまいます。

世界に目を向けずにいれば、最新の技術を取り入れられないだけでなく、ビジネスチャンスを逃すことにもなるのです。

■インダストリー４・０

ヨーロッパでは協調領域を広く認めることによって、さまざまな分野での「標準化」を進めてきました。

ドイツでは２０１１年にインダストリー４・０（Industry 4.0）という産業政策を政府が発表しました。「第４次産業革命」です。

製造業の現場にＩｏＴやＡＩなど最新のデジタル技術を取り入れ、スマートファクトリーを構築していこうという取り組みです。

インダストリー４・０の原則は次のものです。

- 相互運用性
- 情報の透明性
- 技術的アシスト

・分散的意思決定

わかりやすく言えば、人、モノ、システムをつないで、デジタル技術を生かしながら工場の自動化を進めていこうということです。標準化が進んでいるからこそ、こうした考え方ができるようになるのだとも言えるはずです。

ドイツをはじめヨーロッパでは、工場のデジタル化に必要な5つの軸を明確化、言語化もしています。

「SCADA」、「MES」、「CMMS」、「QMS」、「THREAT」がそうです。

SCADA（Supervisory Control And Data Acquisition）は監視制御システムのこと。製造現場の動態、サイクルタイムや設備総合効率を管理します。

MES（Manufacturing Execution System）は製造実行システム。材料や装置、作業手順など製造プロセスのすべてを監視します。

CMMS（Computerized Maintenance Management System）は設備の保全管理システム。装置の状態異常などを監視して予知保全します。

QMS（Quality Management System）は品質管理システム。たとえばの話、温度が変われば切削条件も変わるものなので、そうしたことに左右されないように品質を担保するデータを取っておきます。意外と抜け落ちやすい部分です。

THREATは脅威という意味で、サイバーセキュリティは今後よりデジタル化が進んでいく製造業に欠かすことのできない項目であるということです。

必要な軸が明確化されていれば、方針を定めやすくなります。

日本では各社各様になっているのでしょうが、ヨーロッパでは方法論そのものが共有されているわけです。

競争領域にあたらないことであるなら、差別化を考える必要はないからです。

協調領域として認められることに関しては同調して、ともに取り組んでいくことができます。

「Catena-X」もそうです。

Catena-Xは自動車業界のバリューチェーン全体でデータを共有するために設立されたアライアンスです。

CO_2排出量の削減などに関しては、必要な情報を交換しながら足並みを揃えていこうということで、仕組みがつくられました。

情報や技術に関して、相互提供、共有する領域はここまで拡大しているわけです。

■どうしてCofinity-Xに参加しないのか？

話を戻せば、Cofinity-Xは公平性の担保だとも言っていい気がします。

Volkswagenの担当者からは次のような話を直接聞くことができました。

「我々大手のみが要件定義を行っていた場合、数年経てば既得権益化しかねません。それを避けるために、10社のコンソーシアムという枠組みは解体しました。今は100社以上が参加するようになっています」

最大手と言える企業の意思として、自分たちだけが有利になるようなことを避けて、幅広く門戸を開放したというのだから驚かされます。

参加企業は、現在の100社からさらに拡張していくことになるのでしょう。そうなっていけば、このコンソーシアムに参加していない企業は、ソリューション展開で遅れをとることになります。

Cofinity-Xには日本企業も参加できますが、実際はどうでしょうか？

Cofinity-Xに参加している日本企業は、デンソー、富士通、ドコモだけです。デンソーは、時代に乗り遅れているところもあるとはいえ、やはりしたたかです。

参加していない企業はそれでいいのでしょうか。

日本の企業でも、ヨーロッパでソフトウェアビジネスや製造業ソリューションを展開しているところはあるのですから、Cofinity-Xのような存在をスルーしていていいのかと心配になります。

Mercedes-BenzやFord（フォード）は参加しているのにトヨタは参加していません。

Robert Bosch（ボッシュ）やValeo（ヴァレオ）は参加しているのにアイシンは参加していません。

Siemensは参加しているのに三菱電機は参加していません。

SAPやAWSは参加していても、ブルーヨンダーは参加していません。

ブルーヨンダーは、パナソニックが買収したソリューションベンダーであり、サプライチェーンのシームレス化を提唱しています。そのようなソフトウェアを提供する企業は、Cofinity-Xに参加を検討していいのではないでしょうか。

■Cofinity-Xが生み出す新たなトレンド

あらためて確認しておけば、Cofinity-Xには大手自動車メーカーだけでなく、Siemens やSAPなども参加しています。世界最大規模の化学メーカーであるBASF（ビーエーエスエフ）も参加しています。業種を問わず、協力できるところは協力していこうとしているわけです。そんなCofinity-Xは、これから製造業ソリューションのトレンドをつくりあげていくことになるのではないかと思います。

10年ほど前にはB2C領域にIT化の波が押し寄せました。

スマホの普及がそうでした。

スマホを持っていれば、すぐにソフトウェアがダウンロードでき、さまざまな音楽を聴いたりコミックスを読めるようにもなりました。何十年か前までならSFレベルの話になりそうな文明の利器を、誰もが手にできるようになったのです。

このときの驚きにも近い変革を製造業にもたらそうとしているのがCofinity-Xです。

新興国にビジネス展開する際にもCofinity-Xで生まれたソフトウェアなどが紹介されていくことになるのが予想されます。

一方で日本の企業がこれまでどおり各社各様のソリューションを提案していたならどうでしょうか。

そのとき新興国は、Cofinity-Xに公開されていて、汎用性の高いソフトウェアを使うのか？　ひとつひとつ要件定義が違うソフトウェアを使うのか？

普通の感覚でいえば、答えは明らかです。

迷わず汎用性の高いソフトウェアを選ぶことになるでしょう。

■標準化とエコシステム

ヨーロッパではとにかく標準化とエコシステムの構築が進んでいます。

Catena-Xにしても、データのエコシステムという言い方がされています。

Catena-Xに限らず、重要な情報を共有できていれば、対策も立てやすくなります。

システム開発や改良を行う際にも、情報や技術の交流があれば、時間やコストをかけずに済みます。

対して日本はどうでしょうか？

標準化の取り組みは弱く感じられ、エコシステムも認知されていません。企業それぞれに必要なシステムやソフトウェアがあれば、自分たちで開発していくことになります。新たに開発するシステムのなかで、特別なセンサーが必要になったなら、そのセンサーも自分たちで開発するなど、多大な時間とコストを要してしまいます。

複数の会社が同じようなシステムの開発に努め、それぞれに自分たちが使用する1台だけを造って終わってしまうケースも考えられます。

そのようなムダを続けていていいはずがありません。

標準化を進めて、開発したものに汎用性を持たせられたなら、量産して共有、あるいは販売もできます。

協調領域を認めず、標準化をためらっている時代ではなくなっているのです。

一方で日本も、DATA-EXやウラノス・エコシステムなど各クラスターごとで、データを連携するような取り組みも始めており、このような動きを活発化させなければいけません。

POINT

□「Cofinity-X」が秘める可能性は大きい

□ヨーロッパでは、日本と比較できないほど「標準化」、「エコシステムの構築」が進んでいる

□日本の製造業界の今後は、標準化を進められるかにかかっている

第７章

標準化という日本のキーポイント

■日本人は優秀すぎたのか？

ここまでこの本を読まれてきて、日本の製造業に批判的な内容が多いのではないかという印象を持たれた人もいるかと思います。

しかし、好きこのんで批判をしているわけではありません。問題点などをまず示していかなければ改善につながらないと考えているので、包み隠さず書いているだけです。ものづくり太郎は、誰より日本の製造業を応援しています。その気持ちがホンモノだということはご理解いただければと思います。

日本の製造業に救いはないのかといえば、そんなふうにはまったく考えていません。本章では、あらためて日本の問題点と課題を整理して、ドイツをはじめとしてヨーロッパが進めてきた改革とも比較しながら、日本の長所、希望と言える部分を紹介していきたいと考えています。

まず確認しておきたいのは、日本の製造業では、なぜこれだけデジタル化が遅れたのかということです。標準化の遅れともつなげて考えられることであり、ある意味、日本人の優秀さの裏返しと言えるのかもしれません。

例えば、教育現場です。

テストの採点をする教師は、いまだに手作業で答案に○を付けたり×を打ったりしている場合がほとんどです。

ＩＣＴ（情報通信技術）を利用して、デジタルで集計していけばいいのではないかと思ってしまいます。

今は学校でタブレットが配布されて、教材も定期的にダウンロードできるようになっています。テストもタブレットで行うようにすれば、採点も成績の管理もデジタル化するのは難しいことではありません。

導入している学校もあるのかもしれませんが、全国の学校が一律に変わっていくことはなかなか望みにくいようです。

通知表の付け方も全国で標準化されていないので、学校ごとのやり方を受け継いでいくのが自然になっているためです。

それでも不満を漏らさず、なんとかやってしまいます。そういう気質と適応力があるからこそ、標準化、デジタル化が遅れたという見方もできなくはありません。

製造業の世界も同じです。

デンソーなどの企業がいまだに二次元データをやり取りしている根本的な理由がどこにあるかといえば〝これまでそれでやってこられていた〟という事実が大きいのでしょう。各社各様ですり合わせのルールをつくって対応していく優秀さがあったので、個別に最適化ができていたということです。

■日本では果たせなかった業界VANの統合

欧米では業界VANが統合されているのに日本ではいまだ統合されていません。この事実もまた、標準化の遅れと無関係ではない気がします。

VANというのはEDIの一種です。

EDI（Electronic Data Interchange）は「電子データ交換」と訳されます。経産省の定義では「異なる組織間で、取引のためのメッセージを、通信回線を介して標準的な規約を用いて、コンピュータ間で交換すること」となっています。

ある程度より上のレベルになると、コンピュータ同士で電子データをやり取りすることになります。

業界ＶＡＮは特定の業界に特化したネットワークサービスです。

欧米では統合されてデファクトスタンダード（事実上の標準）ができているのに対し、日本にはものすごい数の業界ＶＡＮがあります。おそらく数百といったレベルです。それでは電子データの連携がとれません。

大手メーカーがＥＤＩシステムの伝票をサプライヤーに送ってきたときにも、受け取った側はそれを手打ちして通常の伝票に直す作業を行うことがあります。入力を行うための業者も存在しているのが実態です。

データの標準化といった部分における成功例を見つけにくいのが日本です。

標準化の必要性を感じることが少なかっただけでなく、他組織と連携することに消極的だったのだろうとも振り返られます。

早くからＶＡＮを統合していた欧米はその点が違いました。

データをリアルタイムでやり取りするのが当たり前になっていたので、データの標準化を進めることなども自然にできたのだと考えられます。

P2Pもそうです。企業同士でネットワークの連携を果たしていくことは、似た事例で成功していなければ難しかったのではないかと思います。

いざデータの連携ができてしまうと、メリットは大きいものがあります。人が介在する必要がある部分は減り、工数を減らせます。

バラバラにやっているより圧倒的に効率が良くなることがわかっているので、データ連携に前向きになれるのだろうと考えられます。

日本ではビジネスの世界でいまだにファックスのやり取りが行われていることも揶揄《やゆ》されがちです。笑われても仕方がない部分です。

EDIの連携などができてこなかったからこそ、前時代的にファックスを送受信しているのだと見ていいでしょう。データ連携することに対してアレルギーのようなものを持っているところもあるかもしれません。データの扱いに対する感度が低くなっているのは間違いなさそうです。

■２０１１年は「日本のデータ元年」

遅れが大きいのは間違いなくても、日本でも標準化、デジタル化を進める動きは出てきています。

個人的に、東京大学大学院情報学環教授の越塚登《こしづかのぼる》先生と話をする機会に恵まれました。越塚先生はデータ社会推進協議会（ＤＳＡ）の会長を務めるなど、データに関わる分野の第一人者なので、近年の動きや成功事例などを確認できました。

越塚先生は東日本大震災があった２０１１年が「日本のデータ元年」にあたると捉《とら》えています。

東日本大震災では政府にも反省すべき点が多々あったことから、オープンデータの整備を始めていくことになりました。

オープンデータとは、国や地方公共団体、あるいは事業者が保有するデータのなかでも、制限なく誰もが容易に利用できるように公開されているデータのことです。

日本はオープンデータの整備が遅れていると言われていましたが、１７００以上の自治体のうち1400以上の自治体がデータの開示に取り組みだしています。

東京都では、3Dマッピングも進み、都市の情報がデジタルデータ化されるようにもなりました。将来、ドローンによる無人配送が行われるようになれば、そうしたデータが活用されるようになるのが予想されます。

スマホなどで乗り換え案内系のアプリを使っている人は多いと思います。以前は電車移動の方法に限って案内されていました。しかし近年はバスを利用する移動方法も案内されるようになり、電車の遅延状況や混雑状況などもほぼリアルタイムで反映されるようになってきました。

普段意識していなくても、データ連携がなされていることの恩恵を受けられるようになっているということです。


デジタルデータの運用は進んできているわけですが、それでもやはり標準化が進んでいなかったことに起因する問題は山積しています。

製造業でも農業でも、産業ごと、クラスターごとにそれぞれのやり方でデータ運用をしてきたことからデータの連携がしにくくなっているのです。

どの業界にも関係してくる重要な情報なのにもかかわらず、クラスターごとに定義が違う部分があるため、扱いが難しくなっています。

■動きはじめた「DATA‐EX」

業界間でデータの受け渡しができないような不便さをなくすためにも、データ交換の基本原則の整備を図る必要があります。

その取り組みとしてスタートを切ったのが「DATA‐EX」です。

DATA‐EXは分野を超えたデータ連携を目指すプラットフォームです。

「物流」「決済・金融」「製造業」「教育」「モビリティ」「自治体データ基盤」など、分野ごとにデータが分散している状況であれば、必要なデータを取得するには複数のデータベースにアクセスする必要があります。

その手間をなくすため、さまざまなデータを分野ごとのデータベースに収集し、必要なデータのみを必要なときに抽出して活用できるようにするシステムです。

DATA‐EXは、塚越先生が会長を務めるDSAが推進しているもので、この分野で先行しているGAIA－X（自律分散型の企業間データ連携の仕組み）やIDSA（International Data Spaces Association）とも連携してます。IDSAはデータの標準化や共有ルールの策定を目的としている組織で、幅広い業界から147以上の企業や団体が参画しています。

IDSAと連携しているDSA（一般社団法人データ社会推進協議会）には、NTTデータやNEC、富士通、日本アイ・ビー・エム、日本マイクロソフト、グーグル、AWSジャパンなど大手企業も参加しているので、これから企業間の垣根がなくなっていくことが期待されます。

さまざまなデータが統合されたなら、「ものづくり分野」はもちろん、「防災分野」や「医療分野」にも活用できます。

現代はデータの時代であり、大きなイノベーションのほとんどはデータ駆動型になっています。

分野を超えたデータの連携は必須です。

日本でもついにそれが始まったということです。

ドイツ政府の産業政策としてインダストリー4・0が始まったのは2011年ですが、それ以前からデータを統合して、企業間でエコシステムを構築していく動きは見られていました。

複数の専門分野を横断するシステムズエンジニアリングの研究開発がアメリカで活性化したのは2000年頃であり、ドイツはすぐに呼応してアメリカの考え方を学ぼうとしました。

2006年頃からはデジタル化に対応したハイテク戦略にドイツは着手し、CPS社会像を検討していくようにもなりました。

CPS（Cyber-Physical System）とは、実空間とサイバー空間を融合させたシステムのことです。

日本でCPS、データ駆動型社会といった言葉を耳にする機会が増えたのは2015年以降なので、10年のひらきがあるわけです。

2011年以降を見ても、ドイツは2015年からインダストリー4・0を強化し、IIC（Industry IoT Consortium）と連携するなど動きを止めていません。

ＧＡＩＡ－Ｘが始動したのが２０２０年でした。

■かつて世界は「日本式」を懸命に学んだ

どうしてアメリカやヨーロッパが、早くから官民が連携した産業戦略を考えるようになったのかといえば、その原点はかつての日本経済の躍進にあったのかもしれません。

１９７９年には、日本経済の成長要因を分析した『ジャパン・アズ・ナンバーワン』（著：エズラ・ヴォーゲル）という本が出されて世界的なベストセラーになりました。

欧米では、日本の生産システム、とくにトヨタの生産方式＝ＴＰＳを学ぼうという機運が高まっていました。

ＴＰＳ（Toyota Production System）は、必要なものを必要なだけムダなく生産していくための管理システムです。

マサチューセッツ工科大学でもＴＰＳが研究され、その成果は「リーン生産方式（Lean Product System）」としてまとめられました。Lean には「贅肉《ぜいにく》がとれた状態」という意味があるように、徹底してムダを省くやり方を考えたもので、リーン生産方式＝ＴＰＳ

と見られる場合がほとんどです。

1984年には『ザ・ゴール』（著：エリヤフ・ゴールドラット）という本が出て、やはりベストセラーになりました。

小説仕立ての本書は、TPSを読み解き、「TOC（Theory of Constraints＝制約条件の理論）」について説明しています。

『ザ・ゴール』は長く日本語訳が出版されずにいました。日本人には内容を知られたくなかったというのが理由だそうです。日本人がさらに生産効率を高めるのをおそれたからだと言われています。

アメリカは、日本式、トヨタ式を学んで生産効率を高めて、ドイツはそのアメリカから学んできました。

リーン生産方式≒TPSは、あらゆる産業で現場ナイズされていき、そこに後年、ITを掛け合わせていったと見ることもできます。

そうして欧米は、情報化、デジタル化を進めていきました。しかし日本は、本家のトヨタを除けばTPSをうまく応用できず、遅れをとってしまったわけです。

■日本や世界の戦略を学んだドイツ

ドイツでは標準化の取り組みに対する実証実験までが行われるようになっています。ハノーファーメッセ2023でも「How Catena-X Works—GAIA-X Ready Architecture」という展示がありました。

Catena-Xを介して、VolkswagenとBASFの工場で、同じデータシステムを運用していくフレームワークができていることが示されました。トレース情報も稼働情報も電力情報も共有されています。

VolkswagenもBASFも世界に名だたる企業です。日本であれば、これだけの規模の企業同士が情報までも共有することは考えにくいのではないでしょうか。

発想そのものが持たれにくいだけではありません。互いの情報を取得するためには、システムを構築する必要があります。

しかしVolkswagenやBASFの工場ではもともと標準化された同じ基幹システムが

使われていました。

それぞれカスタマイズしていただけなので、あらためて一からシステムを構築していくようなことはしないで済んだのです。

日本はこれから、こうした相手との戦いを強いられていくことになります。

2023年のGDPでついに日本はドイツに抜かれ、世界4位に転落しました。この結果にしても、これまでにどのような取り組みをしてきたかの差が出たものだと言っていいかもしれません。

今、振り返ってみれば、インダストリー4・0は突然現れた構想などではなく、将来的な逆転を目論《もくろ》み、段階的に進められてきたものではないかと感じられるくらいです。長期的な展望を持ち、企業同士が手を組み、エコシステムをつくりあげてきたようにも見えるのです。

日本の場合、グループが異なる企業間で足並みを揃えるようなことはほぼなかったと言えます。

システムなどに進歩がなかったわけではありませんが、各企業がそれぞれに独自のシステムをつくってきました。

制御の方法にしても、個別に考えていくよりも、大きな枠組みから戦略的に構築していくのが望ましかったのに、そうしてきませんでした。標準化を進める背景と骨組みがなかったことが今の苦境を招いてしまったのです。

これからは、日本の企業同士、手をつなげるところはつないでいけばいいのではないでしょうか。

欧米のやり方にしても、見習えるところは見習ってしまえばいいのです。どれだけの速さでどこまで巻き返していけるかが問われています。

経産省を中心として、ウラノス・エコシステムの活動を展開しており、大手自動車メーカーを中心としたサプライチェーン全体でデータを共有する日本独自の活動も始まっており、こうした活動を活発化していくことがとくに重要です。

POINT

□日本人の気質や職場の文化が標準化を遅らせた面もある

□日本でも標準化、デジタル化を進める動きは出てきている
□現状ではドイツなどに比べれば10年は遅れている

■オープンなクラウド「ROBO CROSS」の登場！

今後に希望が持たれる取り組みも紹介したいと思います。

その1つが「iREX 2023」で発見されました。

iREX（国際ロボット展）は、2年に1度開催される世界最大規模のロボット展示会で、2023年は11月末から12月にかけて行われました。

10年後には働き手が1割以上減る可能性が指摘されていることもあり、効率化、自動化を進めていく意味でもロボットが注目されています。iREX 2023にも過去最多の約15万人が来場していました。

そのなかで何より目に留まったのが川崎重工業（Kawasaki）の「ROBO CROSS」です。

確認しておけば、世界の4大ロボットメーカーとされるのが、ファナック、安川電機、スイスのABB、中国のKUKA（ドイツ企業を買収した）です。

川崎重工業はそれに次ぐ存在で、日本では3番手につけています。

4大ロボットメーカー4社のうち2社が日本のメーカーですが、川崎重工業もロボット分野ではかなりのシェアがあります。

その川崎重工業が打ち出したROBO CROSSは、ロボット開発におけるオープンなクラウドです。

ROBO CROSSにはデンソーウェーブや三菱電機、ヤマハ発動機も参加しています。企業の顔触れを見ても、日本がロボット大国であるのがあらためて感じられます。

これらのメーカーがオープンなクラウドでロボット開発をしていくことになれば、この先の展開がおおいに期待されます。

製造業界におけるロボットの役割は非常に大きくなっています。

ただし、そうはいっても、工場におけるロボットは、数ある装置の1つであるのも事実です。

工場の規模や性格にもよりますが、数百ある装置の1つとして数えられるということです。役割は大きくても、工場においては一部分に過ぎないわけです。

iREX2023では、安川電機がデジタルツインの技術を大々的に訴求していました。工場における装置設計を助けるものです。

素晴らしい取り組みですが、1つ残念な面があります。今書いたように工場の中でのロボットは一部分に過ぎないということです。

展示会などに行けばかなりの注目を集めていてロボットが主役のようにも思われるとはいえ、それぞれの工場においては役割は限定されます。そう考えると、ロボットのためだけのデジタルツインでやれることもやはり限られます。

これまでのロボットはメーカーごとに開発環境が異なるものになっていました。そのため、工場の装置設計者や制御の技術者は、メーカーごとに考え方や制御の方法などを分けていく必要があったのです。

メーカーからすれば、囲い込みをして自社製品だけを使ってほしいと考えますが、実際はそうはいきません。

工場側では必要に応じてメーカーを使い分けていく場合が多いものです。

そのことを考えたなら、各社がそれぞれに開発を進めて独自展開をみせていくロボット市場はこれまでお客様視点に立っていなかったと見ることもできます。

そういうなかで登場したのがROBO CROSSです。開発のプラットフォームをオープンにしたことで複数のロボットメーカーが同じクラウド環境を使えるようになったのです。

世界で初めての試みであり、ロボット業界の概念を覆すほどのインパクトがあることでした。

■ロボットをめぐる環境が激変する可能性

今後、ROBO CROSSにはサードパーティ製の開発環境が登場してくることが予想されます。

サードパーティ製のロボットの開発環境だけでなくアプリケーションも出てくることでしょう。ROBO CROSSに参加するどのメーカーのアプリケーションを選択しても、川崎重工業やデンソーウェーブ、三菱電機、ヤマハ発動機のロボットを動かせるようになる時代が来るかもしれません。

デンソーウェーブはすでにアプリケーションを公開しています。

稼働状況、CT状況、日常点検、異常検知、品質、ロス監視といった要素をダッシュボードで見渡せるようにするものです。

デンソーウェーブがアプリケーションを公開すれば、複数のメーカーの製品で使えるようになり、開発工数を削減できるので、非常にありがたい話です。

同じタイプのアプリケーションは、これまで各社が開発していましたが、それぞれに自社製品にしか使えないものばかりでした。

ものすごくクローズドな環境になっていたということです。

ロボットを制御するにも、保全を考えるにも、各社各様のやり方があり、担当者はそれを覚える必要に迫られていました。

工場全体からすれば一部門に過ぎないにかかわらず、そういう面倒さがあったということです。

これから先、1つのプラットフォームで済むようになるなら、設計者や制御の技術者がどちらを選ぶかは明らかです。

ロボット開発の分野で標準化を考えたプラットフォームを日本が最初に提示できた意味は大きいと言えます。

日本産業ロボット業界の希望と言っていいことであり、世界に先駆けてこれをやった川崎重工業は本当に素晴らしいと思います。

今後はROBO CROSSのようなものが業界横断型になっていくべきです。

1つのプラットフォームで開発もデータ取りもできていくようになると、効率はずいぶんあがります。

たとえば物流システムに強いオークラサービスは、遠隔で顧客のロボットを監視する予知保全の分野に取り組んでいます。そのシステムにしても、業界を横断して使えるものにしていけるかもしれません。

Beckhoff AutomationのIPCはChatGPTを実装したという解説もしました。今後はこのような動きがさまざまな分野に広まっていくのは間違いありません。すでにロボットのティーチング（状況に合わせてどう動くかをロボットに教え込むこと）もAIが一部を行うようになっており、物流業界でもAIが自動計算して指示するような例が見られています。

こうした領域がこれから増えていくでしょう。そのとき、オープンな開発環境があれば、さまざまな連携ができていきます。

オープンなメーカーとクローズドなメーカーが混在している状況も望ましくはありません。一様にオープンになっていてこそAI時代に対応しやすいからです。

1社だけ、あるいは数社が組んで独自路線を行こうとしていては、業界全体の発展につながりません。

制御の世界にしても、各社の足並みが揃っていけば今後に期待はかけられます。

今はヨーロッパに遅れをとっているとはいえ、日本のメーカーも、高い技術力に裏打ちされた新たなソリューションを提供できるようになってきました。

たとえば三菱電機は「MELSOFT Gemini（メルソフト ジェミニ）」というシミュレーションソフトウェアを出しています。生産設備や生産ラインをデジタルツイン上で検証できるようにするものです。

「EDGECROSS」というソフトウェアプラットフォームと連携させればオープンな接続も可能になります。

このような取り組みが部分的なものに終わらず、広がっていくことが望まれます。

POINT

□川崎重工業が「ROBO CROSS」を打ち出した意味は大きい

□ROBO CROSSのようなプラットフォームは今後、業界横断型になっていくことが望まれる

■日本の標準化はこれから進んでいくのか

これから日本で標準化が進んでいくのかといえば、その可能性は十分あるはずです。DATA－EXのような取り組みが始まった時点で、すでにそうした動きは確認されているわけです。

ただし、官民の動きは分けて考える必要もあります。官の側ではこうした流れをさらに強固なものにしていきたいはずですが、民のほうではまだ時間がかかる気がします。

灯火《ともしび》を消さないためにも、官民や企業同士が手を結ぶラピダスのような事業やDATA－EXやROBO CROSSのようなプロジェクトが増えていくことが望まれます。

そのためにもこうした動きそのものがいかに大切であるかを業界全体と世間に広めていく必要があります。

微力ながら私も旗振り役を務めていきたいと思っています。

ロボット業界などは本来、かなりクローズドな世界なのに、こうした動きが出てきたわけです。他のクラスターも続いてほしいところです。

たとえばセンサーなどの分野も、データの取り方や集計方法がまちまちになっているので、標準化を進めていくことが望まれます。

そういう分野は他に何例も挙げられます。

厳しい話に戻ってしまいますが、物流も早い段階での変化が求められる業界です。DX化がどこまで進んでいるかは企業間の差が大きいと言えます。ロジスティード（旧、日立物流）のようにAIを導入するなど最新システムを構築している企業もあれば、30年前から時間が止まっているようなところもあります。ファックスで依頼がくれば、それを見ながらトラックを手配して、手搬送するやり方を変えられずにいる会社が多いのが実情です。

物流の世界では、基本的な部分での標準化ができていないことも指摘されています。倉庫などで荷物を保管・運搬するために使う荷役台をパレットといいます。パレットのサイズがバラバラであることも問題視されているのです。

一応の標準サイズは1100ミリ×1100ミリ×144ミリとされていながらも、このサイズが占める割合は全体の30％程度です。サイズがまちまちであると、仕分けがしにくくなるばかりか、保管や運搬の際にもムダなスペースが生まれます。

韓国では50％、EUにいたっては90％標準化されているのですから、統一レベルにはずいぶん差があります。

パレットサイズを統一するには、段ボールのサイズも限定する必要があります。しかし日本では、さまざまな商品があり、さまざまな段ボールサイズがあります。そこから変えていくには製品設計が必要になり、製品を製造する際に使う装置の設計変更も必要になります。

深掘りしていけば難しい話になりますが、そこまで干渉しないでも、これまでやってこられたということで標準化に手をつけないまま来ているわけなのでしょう。

荷物ごとの伝票についてもEDIを導入すべきなのにできずにいるので、間接工数がものすごくかかる状態のままです。

日本がすでに直面しているのが物流クライシスです。

物流業界は本来、製造業以上に標準化とデジタル化を急がなければならないのに、ごく一部でしかそれができていません。これからどうしていくのかが危惧されます。

■日本の危うさを理解できているのか？

もう一例を挙げれば、電力システムも標準化がうまく進められていません。

ヨーロッパでは２０１１年にスマートグリッドを進める計画が発表されました。スマートグリッドとは、供給側と需要側の双方で電力の流れを制御、監視して最適化していく電力網システムです。

このときヨーロッパでは電気のセグメンテーションをすべて表出し、ＩＥＣ規格と照らし合わせました。ＩＥＣは電気の国際規格を標準化しようとする団体です。その規格をもとにして電力システムの最適化を図ったわけです。

日本でも電力のスマートグリッド化を進める動きがありますが、ヨーロッパに比べて10年遅れていると言われています。

その理由もおよそ推察されます。

日本の発電システム市場は三菱電機、東芝、日立の3社でほぼ分け合っていたので、標準化を進める必要性を感じていなかったのではないかということです。

内需が一定数あり、国内で競争しながらやっていける業界ではそもそも標準化を考える発想がなかったのかもしれません。

しかし、これから新興国などに進出したいと考えたときにはどうでしょうか。

今後は、新興国でも欧州で使い込まれたスマートグリッドのシステムは実装が容易なので欲しがられるでしょう。

これまでは日本の中だけでビジネスが成り立っていれば、それでよかった面もあったのだとは思います。しかし今後は人口が減少していき、働き手も減ります。生産性を高めていくことやこれまでとは違った展開も考えていかなければ必ず行き詰まります。

すでにタイミングとしてはギリギリのところにきています。

反省を生かして標準化、デジタル化を一気に進めていく必要があります。もし、それができたなら、中国やヨーロッパ勢にも負けず、新興国やＡＳＥＡＮで有利にビジネスを展開していくこともできるはずです。私はそれを期待しています。

POINT

- □物流や電力システムの領域でも標準化ができていない
- □今、変革していければ、海外でも有利にビジネスを展開していくことができる

■日本の技術力があれば、デジタル化は難しくない

製造業の今後を左右する標準化について振り返れば、どうしてもネガティブな話が増えますが、このまま標準化、デジタル化を進めずにいるわけにはいかないのは絶対の事実です。

可能性が感じられる部分は発芽しているので、今後、改革の動きが加速していくことに期待したいところです。

ここまでこの本を読んできて、日本の工場はそんなに遅れているのかという印象を持たれた人もいることでしょう。

遅れている企業ばかりではありません。データの運用方法が前時代的すぎることや全体として標準化が進んでいないことなど問題点はありますが、工場の設備などでは日本のレベルはやはり高いものがあります。

デジタル化の部分でも三菱電機やパナソニックなど大手メーカーの工場は先に進んで

います。

第4章で紹介したマザトロールにしても切削の自動化を進めるうえでは最先端を行く機械です。マザトロールがあれば切削についてはデジタルツインを実現できるので一気に自動化を進められます。

それだけの機械を造り出しているヤマザキマザックの売上げの約85%は海外が占めていて、日本での売上げは15%程度です。マザトロールを導入している日本の工場もありますが、海外でより多く使われているのが現実です。

新しい技術を導入する意味を理解しておらず、レガシーに固執している経営トップがそれだけ多いということなのでしょう。

こうしたところが変わっていけば一気に突き抜けられる。そういう土壌はあるのではないかと私は見ています。

■三菱電機がやらなければ誰がやる

ヨーロッパでは、工場のデジタル化に必要な5つの軸を明確化しているということもすでに解説しましたが、日本の工場もそれを指針にできます。

デジタル化を進めなければならないという意識はありながらも暗中模索を続けているよりも、ヨーロッパに倣ってしまえば迷わずに済みます。

そう考えたとき、これから期待されるのはやはり三菱電機です。

どうしてかといえば三菱は、前出の5軸（SCADA、MES、CMMS、QMS、THREAT）のすべてをカバーできる実力があるメーカーだからです。三菱でなければすべての領域をカバーすることは体力的に難しいのではないでしょうか。

PLCやサーボ、パネルディスプレイ装置、インバータなど、主だった制御機器はすべて三菱がトップクラスのシェアになっています。

それだけの総合力を誇る三菱には、標準化の道を切り拓《ひら》いていく責任があるのではないかと個人的には考えます。

製造現場のデータマネージメントをハンドリングしていく力を持つ技術商社もあります。たけびしです。

たけびしは三菱電機の代理店をやっていますが、三菱の製品に限らず、オムロンや日立製作所、アメリカのRockwell Automation（ロックウェル・オートメーション）など、1600社の製品を扱っています。

現場から設備設計の依頼を受けた際、PLCが違えば手をつけにくいといったことになりがちなのに、たけびしにはそれがありません。

工場でさまざまなメーカーの制御機器などが使われていても、データ統合できる技術が培われています。

たけびしは「DxpSERVER（ディーエックスピー サーバー＝デバイスエクスプローラOPCサーバー）」という製品も出しています。

OPCサーバーとは、複数の制御機器の相互接続を行うためのアプリケーションです。装置ごとにメーカーが違えば通信規格も変わってしまいますが、OPCという規格を使うことによってデータのやり取りが容易に行えます。

装置ごとにPLCやSCADAが違うようなときにも、OPCサーバーがあれば、ひとつひとつ接続構築していく必要がなくなります。

DxpSERVERでは100メーカーの400機器を接続することも可能で、それぞれの機器からデータも取得できます。これまで紹介した工作機械、産業用ロボットも含まれます。

現場のデジタル化を進めるにはデータがなければ始まりません。

たけびしの宣伝マンを務めるつもりはありませんが、DxpSERVERの値段は20万円くらいです。

それだけの金額で、接続構築の容易性とデータ収集の基盤が得られるわけです。導入しない手はないのではないでしょうか。

たけびしは、装置や設備のデータ収集、異常監視を行う「DxpLOGGER（デバイスエクスプローラ・データロガー）」というソフトウェアも出しています。

三菱電機にも「GENESIS64」というデータ管理のプラットフォームがあるので、DxpSERVERとこうしたものを組み合わせていく方法もあります。

日本の技術を用いれば、工場のデジタル化はそれほど難しいことではないのです。

たけびしのDxpLOGGERや三菱電機のGENESISなどについてはCofinity-Xに公開することを考えてもいいのではないかと思います。

ヨーロッパでつくられたプラットフォームにタダ乗りできるなら、すればいいのです。公平なプラットフォームであるなら利用させてもらわない理由はありません。

日本の工場は決してドイツに劣っていないと書きましたが、改善力でもまさっているのではないかと考えられます。

あるドイツの工場担当者に、今後の改善をどのように考えているかと問いかけてみると、答えに窮していました。その顔には「そんなことは考えてもいなかった……」という戸惑いの色が浮かんでいたものです。

しかし日本の工場には、常に改善を考えていく土壌があります。改善の方向性さえ変えられたならいいのです。

今まさに正念場を迎えていると言っていいでしょう。

政府が作成した「テクノロジーマップ」を見たことはあるでしょうか？

デジタル実装や規制の見直しを推進していくため、規制と技術の対応関係を整理して可視化しているものです。

「デジタル技術の活用を検討する際の参考情報への入り口」と位置づけられていますが、これを見れば、政府がどこに投資をしていこうとしているかも間接的に見えてくると思います。

政府としても、最近は必要なところにお金をかけるようになっています。

2023年11月には、JAXA（宇宙航空研究開発機構）に対し、最長10年間で1兆円規模の支援をしていくことを目指す「宇宙戦略基金」が設置されました。

注目すべきことなのに、他人事《ひとごと》のように見ている人がほとんどなのではないでしょうか？　決して他人事などではありません。

政府が目指す方向性と合致すれば、数億、数十億円といった補助金を得られる可能性はおおいにあります。

そのためにもテクノロジーマップなどが役立てられるわけです。

テクノロジーマップの存在をどれだけの人が知っているでしょうか？

情報に敏感な人が少ないため、知らない人のほうが多いというのが現実なはずです。

その事実に気がついたとき、こうしたことを広めていくことも、ものづくり太郎の役割ではないのかと考えました。

製造業の未来のためにも、良き情報ステーションになっていかなければならないということです。

私はなにもメーカーや日本の製造業界を叩《たた》きたいわけではありません。

応援していきたいし、力になりたい！

その気持ちに偽りはないのです。

POINT

□日本の工場は決して遅れていない

□メーカー、工場の個々の技術には素晴らしいものがある

□政府が作成している「テクノロジーマップ」でもチャンスを見つけられる

終　章

日本メーカー
超進化論

■日本の製造業をガラリと変えるためには何をすべきか

終章では、これから私、ものづくり太郎が何をしていくつもりなのかをまとめながら、製造業の未来を考えていきます。

私がこれからやろうとしているのは、誰かがやらなければならないことです。誰かがやったなら、日本の製造業はガラリと変わります。

おおげさではなく製造業の存亡がかかっていることです。

日本のメーカーがこれから世界と戦っていくためには何をしていくべきなのか？

その道筋を示していきたいと考えているのです。

実をいうと、少し前までは自分で工場を開設することを予定していました。

どうして工場をやろうと考えていたかといえば、目的の1つはやはり未来への道筋を示したかったからです。

日本の工場の生産性が低すぎることはここまでに解説しました。部品加工の工場などで工作機械を動かせているのは全体時間の10％台後半くらいに過ぎないわけです。しかし、的確なデジタル化ができたなら稼働率はまったく違ってきます。

第7章で書いたことなども参考にしていただけるはずですが、装置設計次第で生産性は大きく向上させられます。

「百聞は一見に如《し》かず」ともいいますが、その様子を動画にして配信していこうと考えていました。

工場を開設するというのは経営をすることです。当然ながら利益をあげることを前提にして、そのうえで工場をデジタル化する見本を示していくつもりだったのです。

なぜそこまでしようと考えていたのかといえば、ものづくり太郎は製造業に育ててもらった人間だからです。

製造業に恩返しをするため、現場の変革をモデル化しようと考えていました。

しかし、工場経営はいったん中止しました。

危機感が薄すぎる今の状況を鑑《かんが》みれば、まず製造業界の上流を変えていくべきではないかと気がついたからです。

現場の効率を高めるのは重要なことながら、現場を動かす上流を変えることのほうが製造業全体には意味があることではないかと考えました。

180度、方向転換することにしたわけなので、工場は開設しません。もしかしたら、いずれ開設することもあるかもしれませんが、まず、本当の意味での案内人のような役割を果たしていこうと決めたのです。

少しおおげさに言えば、製造業界のアンバサダーのような存在になっていきたいと思っているのです。

■虚無を売ってきたコンサルタントたち

ものづくり太郎が本気を示す第一歩としては、研究会のような性格を持つコンソーシアムを立ち上げる予定です。会員制のサロンのようなもので、基本的には、自分の会社を動かせるようなエグゼクティブに集まってもらいます（興味がある人はYouTube あるいはX〈旧 Twitter〉から連絡をください）。

なぜエグゼクティブに限定するのかといえば、製造業全体の今後に関わる規模のことをやっていきたいからです。

コンサルタントのような存在になるつもりなのかといえば、そういう面もあるかもしれませんが、一般的にイメージされやすいコンサルタントとは一線を画します。

企業によっては、製造業のことをまったく理解していないコンサルタントを入れてしまっていることも多い気がします。

最近、外資系の大手総合コンサルティング会社のマネージャークラスの人間と話してみたことで、心底、驚く経験をしました。

そのコンサルタントは「製造業にソリューションを提供していきたい」と話していたのに、CADという言葉さえ知らなかったのです。

彼らがどこかの企業とコンサルタント契約を結べば、かなりの金額を受け取ることになります。

製造業ソリューションの1つの鍵《かぎ》を握るのがCADなのにもかかわらず、CADを知らずに何ができるのでしょうか？

これまでにはない新しいソリューションを提案されたとしても、実際にそのやり方を導入すれば、現場の作業効率はあがるどころか後退することもあるはずです。

言葉は厳しくなりますが、プラスがないどころかマイナスになりかねないアドバイスによってお金を取る行為では、〝虚無を売っている〟と言ってもいいのではないかと私は思います。

いつまでもこうしたことがまかり通っているようでは日本の製造業は本当に終わってしまいます。無残な結末を迎えてしまわないためにも、本当にやるべきこと、できることを示していきたいと考えています。

■蓄積していたCADデータは〝資産〟になる

エグゼクティブのコンソーシアムを立ち上げてどうしようと考えているのか……。

オンラインサロン的なものにとどめるつもりはありません。

セミナーを開催したりディスカッションの場をつくるだけではなく、自分自身がアクティブに動いて、実のあるビジネスチャンスを提供していくつもりです。そのため、国の機関や外国の企業とつないでいく仲介役も果たしていきたいと考えています。

私にもそれなりのコネクションはあるので、今まさにつながっておくべき海外企業な

図4　業種別に見たChatGPT認知率・利用率

（関東地方15〜69歳、2023年6月3〜4日）

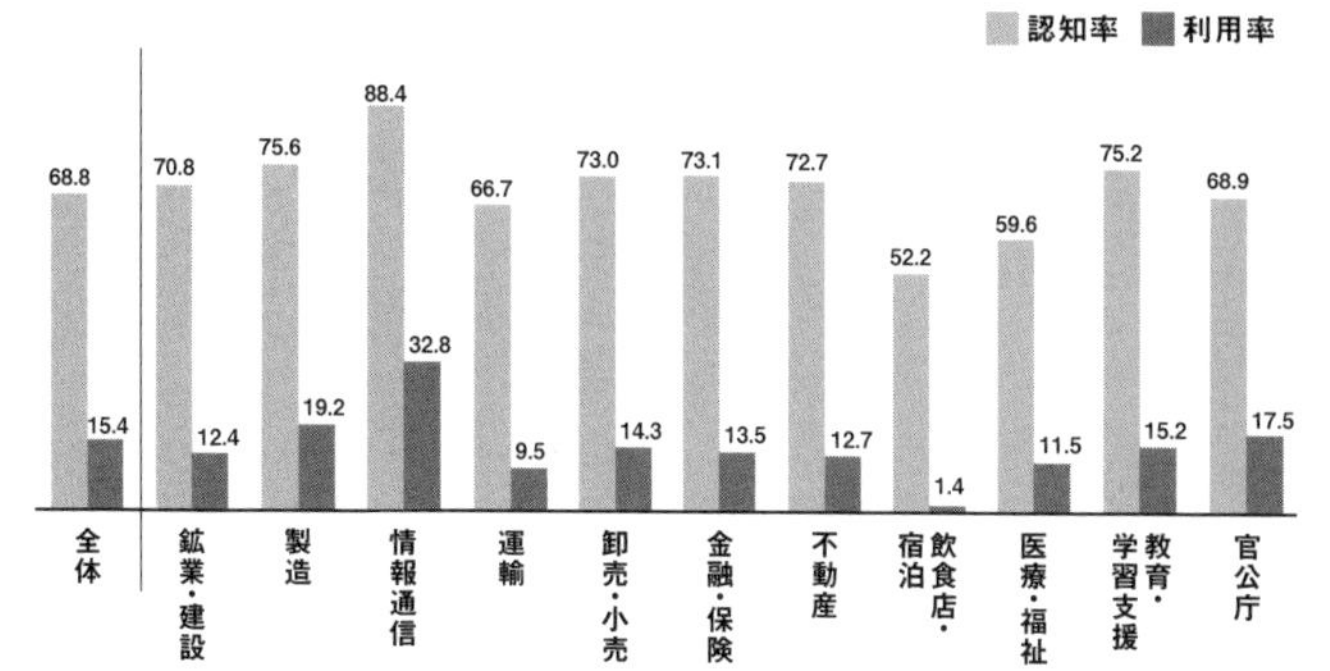

出典:NRI「インサイトシグナル調査」(2023年6月3〜4日)を元にKADOKAWAが作成

どには積極的に視察に行きたいとも思います。

まずつながっておきたいのは世界のCADメーカーです。

CADはこれまで以上に重要な役割を果たすことになり、現場のあり方は抜本的に変わっていきます。

製造業ではIPCにChatGPTが実装されるようになりましたが、建築業界などでも設計などの重要部分においてChatGPTが利用されるようになっています。これから先、AIが活用される分野がどんどん広がっていくのは間違いありません。

そこで生きてくるのが、これまでに蓄積

されたＣＡＤデータです。

大量のデータとディープラーニング技術によって構築された言語モデルはＬＬＭ（大規模言語モデル）と呼ばれ、ChatGPT もＬＬＭの一種になります。

ＬＬＭに既存のＣＡＤデータを読み込ませれば、さまざまな応用ができます。以前に設計していたものを現在のトレンドに合わせて最適化することも容易になるので、設計のあり方そのものが変わるはずです。

蓄積していたＣＡＤデータは、多ければ多いほど意味を持ちます。ＣＡＤデータは〝資産〟なのです。

どのように生かしていくかがこれから議論されることになります。

そう考えたなら、日本のエグゼクティブは、なるべく早い段階で3大ＣＡＤベンダーなどとつながっておく必要があるわけです。そこで交わされる議論のなかから新しい設計の概念などが生まれていくことになるでしょう。

例えば建築業界では、ChatGPT に対して、ＢＩＭ（Building Information Modeling）情報を使ってチューニングを行い、その土地環境に合わせて、建物に必要な強度や配管などの基礎情報もＬＬＭが学習し、最適な構造物の設計やモデルの抽出が可能になっています。しかも、今まで数日かかっていたものを、1日で数十個のモデルを作りだすことが可能になっています。

CADの世界は、常に建築から変化していきます。なぜかというと建築の世界は、人間のサイズが大きく異なることがないので、標準化しやすいのです。しかし、建築業以外の製造業では、対象物が千差万別であり、そのため建築業界のCADソリューショントレンドが後日、建築業界以外の製造業側にも適用されることになります。

この建築業界がAIによって激変した事例を鑑みると、今後は、建築業界以外の製造業もAIによって激変しますので、CADソリューションがAIによってどのように変わるのかをすぐそばでキャッチアップしなければなりません。

そして、大手CADベンダーは、日本のものづくりに対して非常に関心を持っているはずなので、大手CADベンダーに対して、日本のものづくりのDNAを埋め込んでおく必要があります。なぜなら、CADは製造業の上流なので、日本の製造業流にCADをカスタマイズできれば、日本に有利な状況をつくりだせる可能性があるからです。

■グローバルサウスへの進出をサポート

橋渡しということでは、グローバルサウスへの進出もサポートしていきたいと考えています。

日本にとって重要な製造拠点であるタイとのつながりはつくれているので、私がサポートできることもあるはずです。

タイのほかにこれから注目したいのはインドです。

まもなく15億人に達すると見られるほどの人口を擁し、近年、経済発展が著しいインドは製造拠点としても市場としても魅力です。

約100万人の従業員を抱え、世界最大のコングロマリットだとも言われるTata Group（タタ・グループ）も存在します。

個人的なつながりからTata Groupとの接点も見出《みいだ》せます。

日本の製造業が危ういからといって小さくなりすぎず、新たなビジネスのあり方を考えていくことも大切です。現実的にいって、中国や欧米に進出するよりもグローバルサウスにはさまざまなチャンスがあるはずです。

■多品種少量生産の時代に二次元は合わない

社内システムを見直していくうえでもお手伝いできることはあると思います。根本的な効率化を図り、新たなビジネスチャンスを摑《つか》んでいくためには、まず二次元データの運用をやめることです。

CADで設計したものをわざわざ二次元データにして現場で運用しているのは、量産時代から脱却できていないことの表れです。

昭和の高度経済成長期は、同じ製品でも、造れば造るだけ売れる時代でした。対して現代は「多品種少量生産の時代」になっています。

昭和であれば、どの家に行っても同じような炊飯器があったものですが、今はさまざまなメーカーのさまざまなシリーズの炊飯器が使われるようになっています。

誰かの家に行って、自分の家と同じ炊飯器が使われていることなどは稀《まれ》なのではないでしょうか。流行《はや》りすたりもあるので、同じ製品を長く造り続けるケースもほとんどなくなっています。

そうであるなら、量産時代の手法が通用しなくなるのは当然です。三次元データをわざわざ二次元データに変換してしまうように、時間とお金を要しながら何のプラスも生み出さない工程を守り続けている場合ではありません。


家庭の電化製品だけでなく、工作機械の世界も同じです。

以前であれば、基本的な構造をした汎用《はんよう》旋盤がどこの工場でも使われていたのに（旋盤は切削加工を行う工作機械です）、今はCNCが搭載されたNC旋盤が増えてきました。

こうした装置や機械には、それぞれにさまざまなオプションがあります。

工作機械の世界にしても〝超〟が付くほどの多品種時代になっています。

造る側も使う側も、超多品種時代に対応していくことが肝要です。


第4章でも触れたBOMはBill of Materialsを略した用語で、一般的には「部品表」と訳されます。

設計BOM、製造BOM、調達BOM、サービスBOM……というように分けられ、それぞれの段階における基本情報がまとめられます。

三次元データを二次元データに変換しているようであれば、第4章でもお伝えしたように、ＢＯＭの管理においても弊害が生じます。

設計側で設計ＢＯＭをつくっていたなら、その情報から製造ＢＯＭをつくる必要があるわけですが、二次元図面に落とされていることで、設計ＢＯＭに紐づいた原価管理ができなくなってしまいます。製造ＢＯＭをつくったとしても、情報としての利用価値は落ちています。調達ＢＯＭは調達ＢＯＭで独自につくっているので、それぞれの情報を連携させられず、正しい原価計算ができません。

情報として活用できるマスターデータがなければ、いくら部署ごとにＢＯＭをつくっても意味を持ちません。それにもかかわらず、三次元図面を工数をかけて二次元図面に落とし、ＢＯＭの連携ができない状態に陥ってしまい、ＢＯＭを生かせていない企業がほとんどです。そこから改革する必要があるので、マスターデータをつくれる技術者につないでいくことも考えています。

製造業にはいくつかのフェーズがあります。

まずどういう製品を造ればいいかといった「構想」を練るところから始まります。次に「開発・設計」が行われ、「生産準備」、「製造」と移っていきます。製造のためには「調達」や「装置設計」も行われます。製品ができあがれば「販売」、「保守・メンテナンス」へと進みます。

各部門を連携させられるマスターのデータがあれば、設計から製造への流れが良くなるだけでなく、調達や保守・メンテナンスにおいてもさまざまな情報を生かせます。販売にフィードバックもかけられるのでマーケティングのあり方も変わってきます。

多品種少量生産の時代だからこそ、正確な情報にもとづいたスピーディな動きをしていく必要があるのです。

そのためにも、情報をすべての部門につなげることは必須です。データの管理方法を見直すだけでも効率化は進みます。製造業を変えるキモとなることなので、まずそこをやらなければ始まりません。

それと同時に企業間や業界の垣根をつくらない標準化の取り組みを進めていく必要もあります。自分たちのことだけを考えていたのでは遅れは取り戻せないからです。

世の中のコンサルタントは、「製造業は専門分野ではないが、違った視点で見られるからこそ新しい領域に導ける」といった論法を持ちだすことが多いのだと想像されます。ガラパゴス化しないためにも自分たちの言葉に耳を傾けるべきだというのが彼らの言い分ですが、単なるレトリックに過ぎない気がします。

製造業をわかっているなら、改革すべき部分はハッキリしています。独自のソリューションを持ち込もうというなら、必要な改革を終えてからにすべきです。いたずらに横からシステムに手をつけても〝改悪〟になるだけです。

実際にそういうことをしてしまったコンサルタントが複数存在していたため、日本の製造業は正しい進化ができなかったのだと見ることもできます。

欧米や中国が次のステージへと進んでいくなか、日本の製造業界は30年間、迷走を続けてしまった。

その事実には、ただただ怒りを覚えます。

繰り返しになりますが、今の製造業界に騙《だま》されている余裕などはありません。だからこそ私は、実のある改革を提供していきたい。役割は地味でも、製造業を下支えするような存在になりたいと考えているのです。

POINT

□製造業に必要なのは、エグゼクティブのためのコンソーシアムである

□AI時代にはCADデータが価値ある〝資産〟になる

□多品種少量生産の時代だからこそデータの管理方法が問われる

■AI時代が到来しても日本の製造業界は〝超進化〟できる

多くの人がイメージしている以上にこれからＡＩはさまざまな場面で活用されていき、そのことが世の中に与える影響は大きくなっていきます。

「計算力＝国力」という意味合いは今後ますます強くなります。

そういうなかで危惧《きぐ》される問題もあります。

その１つが消費電力が桁《けた》違いにあがってしまうことです。

ＡＩをトレーニングする際には大量の電力が消費されますが、おそらく皆さんの想像を超えています。２０１８年時点でＡＩによる電力消費量は国内で０・7TWh（テラワットアワー）でした。ＡＩの電力消費率が現状のままだとしたなら、２０３０年には16TWh、２０５０年には３０００TWh になるものと試算されています。

０・7TWh が３０００TWh になるのですから約４０００倍です。

４０００倍と聞いただけでもおそろしくなりますが、３０００TWh がどれくらいの電力量なのかはイメージしにくいのではないでしょうか。

2020年度の日本の総発電量は1008TWhでした。その約3倍です。AIのためにサーバーで使われる電力だけで、総発電量の3倍が必要になるわけです。キャパオーバーといったレベルの話ではありません。

AIのためにそれだけの電力を供給できるはずはないので、なんとか消費電力を抑えようという研究もなされています。半導体の性能にもかかってくることですが、大きな期待はかけづらいのが現状です。半導体に関しては、18か月で性能を2倍にできるという「ムーアの法則」があります。これまで50年ほどはこの法則が開発の指針になっていましたが、それも限界を迎えたと指摘されるようになっています。

AIの活用範囲が拡大していくことはもはや止められません。

製造業の世界だけを見てもAIの導入はすでに進んでいます。ロボットのティーチングといった分野でもAIが活用されるようになっているわけです。デンソーウェーブによれば、AI（ChatGPT）との連携でロボットのティーチングのためのプログラミング生成はその作業人数を3割から4割は減らせるとのことです。今後、さらにAIが進化すれば、人間の手をいっさい必要としないでティーチングができるようになることでしょう。そうなるのがわかっていながら開発をやめることはあり得ません。

ひたすら開発を続けていく流れができてしまっているのです。

計算力＝国力の時代において、ＡＩの計算資源は手放せないものになっているということです。

■「ＩＯＷＮ構想」に望みを託せるか？

「ＩＯＷＮ構想」というものがあります。

知っている人は少ないのではないかと思います。

ＩＯＷＮとはＮＴＴグループが研究開発を進めている次世代インフラです。

これまでとはレベルが異なるほど電力効率を高めることで、電力消費を抑えて、データ処理による遅延をなくす構想です。

今のネットワークでは、光ファイバーを使って情報を送っているにもかかわらず、サーバーでいったん電気信号に変えています。その情報を処理して再び光データにしています。皆さんがオンライン会議をしているときも、知らないところでは、そういう処理がなされています。会議をしている人たちはリアルタイムなやり取りができているつもりでも実際は遅延が発生しています。

そしてまた、光データを電気信号にする時点で消費電力が爆発的に上がっています。

IOWN構想がやろうとしているのは、ネットワークから端末まで、すべて光データで済ませるオールフォトニクス・ネットワークというものです。

それにより遅延がなくなり、電力効率は格段に良くなるとされます。

NTTグループによれば、2030年をメドにして、消費電力効率を現在の100倍、伝送容量を125倍、遅延を200分の1にすることを目指しているといいます。

こうした構想が実現すれば、問題解決の足がかりになります。

やっていることは素晴らしいのに、NTTグループは広報活動がうまくはないのでしょう。世間にほとんど伝わっていないのが残念なところです。

NTTグループに限らず、こうしたことまで考えていく必要が生じています。

■日本の計算資源はどうなるのか？

AIが消費する電力については、将来的に必要な電力が賄えるかが問題視されているだけではありません。これだけ莫大《ばくだい》な電力を消費することになれば、当然、環境問題にもつながります。

国際会議で取り上げられる議題はもっぱら環境問題になっている時代です。ＡＩのために莫大な電力が消費されようとしている事態が黙認されるはずがありません。

この点につながってくるのが半導体とＡＩサーバーです。

ＡＩサーバーは、ＡＩのトレーニングを行う際などに必要になる膨大な量のデータ処理ができるサーバーの通称です。ＡＩサーバーにはアメリカのＮＶＩＤＩＡ（エヌビディア）製のサーバー用半導体が必要になるため、争奪戦になっています。

この半導体は1基が５００万円ほどしますが、８基ワンセット（約６６００万）のものについて、Microsoft や Google などは、それだけで数千億円規模の購入を行っていくと発表しています。

ＡＩサーバーを運営するためにこうした規模の投資ができる日本の企業はありません。そこでどうしているかといえば、国が高額な料金を支払って海外企業からＡＩサーバーを借り受け、民間企業に貸し出しています。今はそれでいいとしても、今後はそうはいきません。ビジネス上の問題だけでなく、環境問題にもつながってくるからです。

「莫大な電力を消費する計算資源を日本に分け与える理由はない！」

近い将来、欧米ではおそらくそうした議論が噴出することになるでしょう。そうなれば、これまでのようにＡＩサーバーを借りることもできなくなり、日本の計算資源は枯渇します。

このような未来図をどれくらいの企業や人が理解しているのでしょうか。

近い将来、間違いなく直面することになる問題を知らずにいたのでは先に進みたくても進めません。

〝情報を精査しながら、新しい動きに備えるだけではなく、むしろ先んじる〟

そういうお手伝いもしていきたいと思っています。

どこまでやれるかはともかく、本当にＡＩを必要とする企業が今後もＡＩサーバーを使えるようにするための橋渡しもしていくつもりです。

根本的な部分から変えていくため、製造業界をこれからどうしていくべきなのでしょうか？

「二次元データを扱うのはやめてＣＡＤデータを活用していくこと」

「社内でデータの統一を図ること（マスターデータをつくること）」

「業界全体、あるいは業界の垣根を超えて、システムなどの標準化を図っていくこと」

そうしたことができていることを前提として、「ＡＩ時代にいかに対応していくかをしっかりと考えていくこと」です。

私がやれなかったとしても、誰かがやらなければならないことばかりです。これらのことが実現できたなら、日本の製造業界は〝超進化〟します。やるべきことは明確になっています。それはつまり、未来の希望は見出せているということです。

今後、私が行う製造業の支援内容などは新たにウェブページを作成して、随時公開していくつもりです。日本の製造業を応援し続けていきます。製造業に従事している皆さんと一緒に頑張っていきます！

POINT

- □AIが必要とする電力量は、日本の総発電量を超えることになる
- □今の日本は、海外のAIサーバーに頼っているが、今後は難しい
- □世の中の動きを理解していれば、希望は見出せる！

本書は書き下ろしです。


本書の執筆にあたり、製造業に携わっている多くの方にご協力いただきました。ここに厚く感謝の意を表します。

同僚の千葉伶子、吉川春菜、そして妻の智子にも感謝をお伝えします。

構成を担当してくださった内池久貴さん、KADOKAWAの小川和久さんにもお世話になりました。

ものづくり太郎

（ものづくりたろう）

本名は永井夏男。1988年、愛知県尾張旭市生まれ。㈱製造業盛り上げ隊代表取締役。2012年に京都産業大学卒業後、大手認証機関に入社。電気用品安全法業務に携わった後、㈱ミスミグループ本社やパナソニックグループでFAや装置の拡販業務に携わる。20年から本格的にYouTuberとして活動を開始。製造業や関連する政治、経済、国際情勢に至るまで、さまざまな事象に関するテーマを平易な言葉と資料を交えて解説する動画が製造業関係者の間で話題。YouTube「ものづくり太郎チャンネル」の登録者数は26万人（24年2月現在）。

日本《にほん》メーカー超進化論《ちょうしんかろん》
デジタル統合《とうごう》で製造業《せいぞうぎょう》は生《う》まれ変《か》わる

2024年4月1日　初版発行

著者／ものづくり太郎《たろう》

発行者／山下直久

発行／株式会社KADOKAWA
〒102-8177　東京都千代田区富士見2-13-3
電話　0570-002-301（ナビダイヤル）

印刷所／大日本印刷株式会社
製本所／大日本印刷株式会社

●お問い合わせ
https://www.kadokawa.co.jp/（「お問い合わせ」へお進みください）
※内容によっては、お答えできない場合があります。
※サポートは日本国内のみとさせていただきます。
※Japanese text only

定価はカバーに表示してあります。

ISBN 978-4-04-606721-0 C0034